EL CAYO

Theodore Taylor

EL CAYO

NOGUER Y CARALT
EDITORES

Título original
The Cay
© 1969, by Theodore Taylor
© 2001, Noguer y Caralt Editores, S.A.,
Santa Amelia 22, Barcelona
Published by arrangement with
The Marsh Agency, London
Reservados todos los derechos
ISBN: 84-279-3250-2
Traducción: G. Sevilla
Ilustración de cubierta de Povl Webb

Primera edición: febrero 2002

Impreso en España - Printed in Spain
Limpergraf, S.L., Barberà del Vallès
Depósito legal: B - 2848 - 2002

*Al sueño del Dr. King,
que sólo puede hacerse realidad
si los jóvenes conocen y comprenden.*

Nota del editor

No nos pareció posible reflejar en
español «El dulce y bello 'West Indian'
acento de Timothy» —típico de ciertas
islas del Caribe—. «Su voz sonaba a
pleno calipso, suave y musical, y las
palabras se deslizaban como terciopelo». Nos hemos limitado a traducir
con la mayor fidelidad posible al texto
inglés original.

1

COMO TIBURONES SILENCIOSOS Y HAMBRIENTOS nadando en la oscuridad del mar, los submarinos alemanes llegaron en plena noche.

Yo estaba durmiendo en el segundo piso de nuestra casa situada en Willemstad, en la isla de Curaçao, que es la más grande de las islas holandesas cercanas a la costa de Venezuela. Me acuerdo que, en aquella noche sin luna del mes de febrero de 1942, atacaron la gran refinería de petró- leo Lago, en Aruba, la isla gemela al oeste de la nuestra. Destruyeron seis de nuestros pequeños petroleros, aquellos trastos rechonchos que todavía transportan crudo desde el Lago Maracaibo a la refinería, la «Curaçaosche Petroleum Maatschappij», donde se transforma en gasolina, queroseno y diesel. Incluso se pudo atisbar un submarino alemán no lejos de Willemstad.

Luego, cuando me desperté, reinaba gran excitación en la ciudad, que parece una parte de la vieja Holanda, excepto en que todas las casas están pintadas de colores suaves, rosas, verdes y azules y en que no hay diques.

Me costó mucho terminar mi desayuno, porque deseaba ir a Punda, el distrito comercial del casco antiguo de la ciudad y de allí pasar a Fort Amsterdam y otear el mar. Si había algún submarino enemigo a la vista, yo quería verlo y unirme a las gentes amenazándoles con el puño.

No estaba atemorizado pero sí terriblemente emocionado. La guerra era algo de lo que yo había oído hablar mucho pero que nunca había vivido. El mundo entero estaba en guerra y ahora también nos había llegado a este cálido y azul Caribe.

Lo primero que dijo mi madre fue:

—Phillip, finalmente el enemigo ha atacado la isla y hoy no habrá escuela, pero debes permanecer cerca de casa. ¿Entendido?

Asentí, aunque no podía imaginarme que un proyectil procedente de un submarino enemigo pudiera alcanzarme, precisamente a mí perdido entre todos los edificios, caminando en el famoso puente de pontones o entre los barcos llegando a la vuelta de Schottegat o a lo largo de Sta. Anna Bay.

Por tanto, ya avanzada la mañana, mientras mamá estaba ocupada asegurándose de que todas nuestras cortinas oscuras estaban corridas, llenando unos recipientes más con agua fresca y comprobando nuestras reservas de alimentos, me escapé hacia el viejo fuerte con Henrik van Boven, mi amigo holandés, que también tenía once años.

Allí, yo había jugado muchas veces con Henrik y otros muchachos cuando teníamos algún año menos, imaginándonos que defendíamos Willemstad contra ataques de piratas o incluso de británicos. Ya sabía desde mucho tiempo que alguna vez en el pasado, habían asaltado la isla. Otras veces, simulábamos que nosotros éramos holandeses que salíamos a atacar los galeones españoles; lo cual también había sucedido. Nos parecía todo tan real, que algunas veces creíamos vislumbrar en el horizonte aquellos buques de altos mástiles.

Por supuesto, en realidad eran únicamente las desvencijadas goletas que, procedentes de Venezuela, Aruba o Bonaire, llegaban cargadas con plátanos, naranjas, papayas, melones y diversos vegetales. Pero para nosotros siempre eran piratas y chillábamos a los ruidosos hombres de color de a bordo, los cuales se reían y nos replicaban con sus: ¡Pow, pow, pow!

El viejo fuerte parecía haber salido de un libro de cuentos: tenía troneras con cañones a lo largo de la alta muralla que miraba al mar y que durante muchos años custodió y protegió Willemstad. No obstante, esta mañana no se parecía en nada a un fuerte de cuento. Había auténticos soldados con rifles y pudimos ver ametralladoras. Hombres con prismáticos oteaban el cabrilleado mar y todo el mundo estaba nervioso. Nos echaron a cajas destempladas, ordenándonos volver a casa.

En lugar de obedecer, no fuimos al Köningin Emma Brug, el conocido puente de pontones Reina Emma, que cruza el canal que conduce al inmenso puerto de Schottegat. El puente está construido sobre base flotante y por ello puede abrirse para dar paso a los barcos que entran o salen, y además conecta Punda con Otrabanda, es decir la otra parte de la ciudad.

La vista desde allí no era tan buena como desde el fuerte pero había muchos curiosos mirando. Cosa rara, no se veía movimiento de barcos en el canal; los veerboots, los ferrys que transportaban coches y personas arriba y abajo cuando el puente giraba, estaban atracados y vacíos. Incluso las goletas indígenas permanecían quietas en sus desembarcaderos del canal y los hombres de color no reían ni gritaban tal como era su costumbre.

—Mi padre me ha dicho que no queda nada de Aruba, han dado a Sint Nicolaas, como sabes —exclamó Henrik.

—Han hundido todos los petroleros —dije yo.

En realidad, no sabía si esto era o no cierto, pero Henrik tenía una forma irritante de sonar «oficial», desde que su padre estaba conectado con el gobierno.

Tenía la cara redonda, era regordete, su cabello era de color paja y siempre ostentaba unas mejillas rojizas. Se mostraba muy serio en todo lo que decía o hacía. Mirando hacia Fort Amsterdam sentenció:

—Apuesto a que ahora van a colocar ahí arriba cañones potentes.

Eso era apostar sobre seguro.

Entonces yo repliqué:

—La Armada no tardará mucho en llegar aquí.

—¿Nuestra Armada? —dijo Henrik mirándome.

Se refería a la Armada holandesa.

—No, —contesté yo— nuestra. Quería decir, por supuesto, la americana. Su pequeña Armada holandesa estaba desperdigada por ahí desde que los alemanes tomaron Holanda.

—Nuestra Armada también vendrá —aseguró Henrik suavemente.

En el fondo, yo no quise discutir con él. Todos lamentábamos que Holanda hubiera sido conquistada por los Nazis.

En aquel momento, un oficial del ejército saltó de un camión y nos conminó a que nos marchásemos del puente Reina Emma. Muy resueltamente gruñó:

—¿Es que no sabéis que podrían lanzar un torpedo hasta aquí y mataros a todos?

Volví a dirigir la mirada hacia el tranquilo mar azul. Soplaba una ligera brisa que producía pequeñas crestas. Unas cuantas nubes blancas recorrían lentamente el cielo, pero no se veía el habitual desfile de barcos que se dirigieran a puerto; no estaban ni los pequeños ni los enormes tanques que ostentaban banderas de muchas naciones y que navegaban lentamente, subiendo la bahía hacia el Schottegat para cargar gasolina y petróleo.

El mar estaba vacío y ni siquiera se vislumbraba una sola vela en él. De golpe, nos sentimos atemorizados y salimos disparados hacia casa, en el barrio Scharloo que era donde vivíamos.

Supongo que estaba muy pálido cuando entré en casa ya que mi madre, que se hallaba en la cocina, me preguntó inmediatamente:

—¿Dónde has estado?

—En Punda —admití—. Fui con Henrik.

Mi madre se enfadó mucho. Me agarró por el hombro y me sacudió con cierta violencia. «Te dije que no fueras allá, Phillip», me chilló muy enfadada.

—¡Estamos en guerra! ¿Es que no lo entiendes?

—Sólo queríamos ver los submarinos —le respondí.

Cerró los ojos y me atrajo hacia su esbelto cuerpo. Ella era así; capaz de sacudirme con violencia y abrazarme un minuto después.

La radio estaba enchufada y una voz informaba que cincuenta y seis hombres habían muerto en los buques tanque del lago al ser volados y que el gobernador de las Indias Occidentales holandesas había solicitado ayuda a

Washington, ya que era inútil recurrir a Amsterdam. Escuché el triste sonido de esa voz hasta que la mano de mi madre apagó la radio.

Finalmente me dijo…

—Estarás a salvo y seguro si haces lo que se te ordena. Hoy, no te marches del patio otra vez.

Parecía muy nerviosa pero, por entonces, se ponía así muy a menudo. Siempre estaba temiendo que me cayera al mar desde la muralla marítima, o de un árbol o que me cortara con alguna navaja. La madre de Henrik no era de esta manera. Se reía mucho y decía:

—Chicos, chicos, chicos.

A última hora de la tarde, mi padre, que también se llamaba Phillip —Phillip Enright— regresó a casa desde la refinería donde trabajaba en un programa para aumentar la producción de gasolina para la aviación.

—Está en pie desde las dos de la madrugada —dijo mi madre— por favor, no le hagas muchas preguntas.

Aquella mañana le habían telefoneado advirtiéndole que los alemanes podrían intentar volar la refinería y los tanques de almacenamiento de crudo y que él debía estar preparado para ayudar a combatir el fuego. Nunca le había visto tan cansado y no le hice todas las preguntas que hubiera deseado.

Hasta el pasado año, mi padre y yo habíamos hecho un montón de cosas juntos, tales como pescar, navegar en nuestro pequeño bote, hacer largas caminatas por Krup Bay o Seroe Male, o simplemente salir al koenoekoe, al campo. Él sabía mucho de árboles, de peces y de pájaros, pero ahora siempre estaba ocupado. Incluso en domingo movía la cabeza al tiempo que decía, «Lo siento muchacho, tengo que trabajar».

Después que hubo tomado su pinta de cerveza holandesa

fría, tipo ale (tomaba una cada noche en el salón, cuando llegaba a casa), le pregunté:

—¿Nos dispararán esta noche?

Me contempló muy seriamente y contestó:

—No lo sé Phillip. Tal vez. Quiero que tú y mamá durmáis aquí esta noche, y no en el piso de arriba. No creo que corráis peligro, pero es mejor que durmáis abajo.

—¿Cuántos crees que habrá ahí fuera? Yo pensaba que podrían ser como bancos de peces. Docenas quizá. Quería poder decirle a Henrik exactamente lo que mi padre sabía acerca de los submarinos.

Movió la cabeza de un lado a otro.

—Nadie lo sabe Phillip. Pero deben ser unos tres dando vueltas por las islas. Los ataques han tenido lugar en tres lugares distintos.

—¿Y han venido por todo el recorrido desde Alemania?

Papá asintió.

—O desde bases en Francia —respondió al tiempo que cargaba la pipa.

—¿Por qué no podemos salir y luchar contra ellos? —pregunté.

Mi padre rió tristemente y me golpeó suavemente en el pecho con su largo dedo índice.

—Eso te gustaría, ¿verdad? Pero no tenemos nada con qué combatirles hijo mío. No podemos salir en lanchas motoras y atacarles con rifles.

Mi madre salió de la cocina y dijo:

—Cesa ya de hacer tantas preguntas tontas, Phillip. Ya te advertí que no lo hicieras.

Papá la miró con extrañeza. Él siempre había contestado a mis preguntas.

—Tiene derecho a saberlo. Forma parte de todo lo de aquí, Grace —sentenció.

Mi madre le devolvió la mirada.

—Sí, desgraciadamente —respondió.

Yo sabía que mi madre, a finales de 1939, no había querido trasladarse a Curaçao, pero mi padre argumentó que se le necesitaba para el «esfuerzo de guerra», pese a que por aquel entonces los Estados Unidos no estaban en liza. La Royal Dutch Shell lo había tomado prestado de su empresa americana puesto que él era un experto en refinerías y en producción de gasolina. Pero desde el primer momento en que mi madre vio Curaçao, decidió que no le gustaba y, a menudo, se quejaba de la pestilencia de la gasolina y del petróleo tan pronto aflojaban los vientos alisios.

Era muy diferente en Virginia, donde mi padre había estado a cargo de la construcción de una nueva refinería en las orillas del río Elizabeth. Vivíamos en una casita blanca con un acre de tierra y muchos árboles. Mi madre hablaba a menudo de la casa y de lo árboles, del cambio de las estaciones y de los amigos que tenía allá. Decía que era bonito y seguro estar en Virginia.

Mi padre solía contestar suavemente:

—En el día de hoy, no hay ningún lugar bonito y seguro.

Me acordaba de los veranos con aroma a madreselva y de los fríos inviernos, cuando los campos se volvían de color marrón y la tierra crujía bajo los pies. No tenía recuerdo de muchas más cosas. Sólo tenía siete años cuando nos mudamos al Caribe.

Supongo que mi madre añoraba Virginia, donde nadie hablaba holandés y no había olor a gasolina o petróleo ni tampoco tanta gente de color.

Un frío silencio entre mi madre y mi padre reinaba ahora. Últimamente, esto venía sucediendo cada vez más acentuadamente. Ella se marchó a la cocina.

Yo me dirigí a mi padre:

—¿Por qué no se pueden utilizar fuerzas aéreas y bombardear los submarinos?

Estaba mirando fijamente hacia la cocina y no me contestó, por lo que repetí la pregunta.

—¡Oh, sí! La misma respuesta, Phillip —suspiró—. No hay aviones de combate por aquí. Para decirte la verdad, no tenemos armas.

2

ACABAMOS DE CENAR justo en el momento en que oscurecía y mi padre salió al exterior a observar nuestra casa. Quería asegurarse de que las cortinas oscuras estuvieran bien colocadas. Mientras mi madre y yo nos situábamos en cada una de las ventanas, él iba comprobando que no se viera ni un resquicio de claridad, ya que por orden del gobernador, ni una luz debía ser visible en toda la isla. Sólo entonces se dirigió a la refinería.

Me recogí en el sofá de abajo hacia las nueve pero no podía dormir. Continuaba pensando en los submarinos, cercanos a nuestra costa y en los buques tanque con sus marineros chinos descalzos a bordo. Creo que estaba temiendo que los submarinos lanzaran un proyectil sobre Willemstad.

Entonces me pregunté si los alemanes también enviarían soldados. Hacia las nueve y media me deslicé fuera del lecho, fui al cobertizo de las herramientas y tomé un hacha que puse bajo el canapé. Era lo único que se me ocurría para luchar contra el enemigo.

Debían ser alrededor de las once cuando mi padre regresó

de la refinería para recoger todas las linternas que había en casa. Él y mi madre hablaron en voz baja pero pude oírles.

—Es demasiado peligroso permanecer aquí ahora — dijo mamá.

—Grace, ya sabes que no puedo marcharme —respondió mi padre.

—Bien. Entonces, Phillip y yo debemos regresar. Volveremos a Norfolk y esperaremos a que pase el peligro.

Me senté en la cama, incapaz de creer lo que estaba oyendo.

—Hay más peligro en el viaje de regreso, a menos que se haga por aire, que permaneciendo aquí —continuó mi padre—. Si nos bombardean no alcanzarán Scharloo.

Rápidamente mamá espetó:

—Ya sabes que no quiero volar. Me moriría de miedo.

—Hablaremos de ello más tarde —mi padre parecía muy abatido.

Al poco rato se dirigió nuevamente a la refinería.

Pensé en tener que abandonar la isla, lo cual me entristeció. Amaba el viejo fuerte, las goletas, el mercado Ruyterkade con sus pollos chillones y sus cerdos gruñones y los gritos de la gente de color. Amaba el koenoekoe con sus cactus gigantes, los árboles divi-divi de extrañas ramas situadas a sotavento, la hermosa playa arenosa de Wespunt. Y, además, encontraría a faltar a Henrik van Boven.

Asimismo, sabía que Henrik y su madre pensarían que éramos unos cobardes si nos marchábamos, simplemente porque unos pocos submarinos alemanes navegaban cerca de Curaçao. En fin, estuve despierto casi toda la noche.

17

Por la mañana, mi padre nos contó que las tripulaciones chinas de los buque-tanques del lago, que transportaban crudo circulando entre los bancos de arena de Maracaibo, habían rehusado salir si no contaban con escolta naval. Manifestó que la refinería tendría que cerrar en el plazo de un día, lo que significaba que la preciosa gasolina y el petróleo no podrían llegar a Inglaterra ni surtir al General Montgomery en el desierto africano.

Durante siete días, ni un solo buque pasó por el puente de la Reina Emma y la tristeza sobrevolaba Willemstad. La gente estaba muy orgullosa pensando que las pequeñas islas de Aruba o Curaçao figuraban ahora entre las más importantes del mundo y que la victoria o la derrota dependiera de ellas. Estaban enfadados con las tripulaciones chinas y, al tercer día, mi padre nos comunicó que se habían levantado cargos de amotinamiento contra ellas.

—Pero, —dijo— debéis comprender que están atemorizados y que muchas de las personas enfadadas no se atreverían a navegar ellas mismas.

Mi padre me explicó lo que se debía sentir navegando en los barcos de transporte de crudo sabiendo que en cualquier momento, un torpedo u otro proyectil podía transformar en llamas la nave. Aunque él no era marino, se ofreció voluntario para ayudar a los buques-tanques del lago.

También podríamos, muy en breve, quedarnos sin agua potable. Llueve muy poco en las Indias Occidentales Holandesas, a menos que se produzca un huracán, y el agua de los pocos pozos existentes tiene un alto contenido de sal. Los grandes barcos de Estados Unidos o de Inglaterra siempre nos traían agua dulce, la cual se destilaba nuevamente para que la pudiéramos beber. Pero ahora, todos los barcos estaban recogidos en sus puertos, hasta que pudiésemos librarnos de los submarinos.

Hacia el final de la semana, empezamos a quedarnos sin vegetales frescos, debido a que los tripulantes de las goletas también tenían miedo. Mi madre hablaba constantemente de los submarinos, de la falta de agua y de la escasez de alimentos. Casi parecía que utilizaba la guerra como excusa para abandonar Curaçao.

—Los barcos empezarán a moverse otra vez muy pronto— declaró confiadamente mi padre.

Y tenía razón.

Creo que fue el 21 de febrero cuando algunos de los marineros chinos aceptaron navegar por el Lago Maracaibo. Pero aquel mismo día, un buque-tanque noruego con destino a Willemstad, fue torpedeado cerca de Curaçao y, una vez más, el miedo barrió la vieja ciudad. Sin nuestros barcos, estábamos indefensos.

Un par de días más tarde, mi padre me llevó al Schottegat, donde se estaba completando el cargamento del S.S. Empire Tern, un enorme petrolero británico. Tenía ametralladoras a proa y a popa y se trataba de uno de los pocos barcos armados que había en el puerto.

Pese a que soplaban los vientos alisios, el olor a gasolina y a petróleo flotaba fuertemente sobre el Schottegat. Había otros buques vacíos que esperaban órdenes para zarpar, una vez hubiesen sido cargados. Se veían tripulantes apoyados en la borda contemplando la actividad que reinaba en el Empire Tern.

Seguí mirando las gruesas mangueras conectoras que se estremecían cuando la gasolina pasaba a los tanques. Los gases brillaban débilmente en el aire e iban «coronando» los depósitos, que se cargaban hasta el borde y se aseguraban contra las eventualidades del mar. Nadie hablaba mucho, puesto que era casi peligroso hacerlo con toda esa gasolina de aviación tan cerca.

Por la tarde fuimos a Punda y nos quedamos cerca del puente de pontones mientras el enorme buque pasaba lentamente por Sta. Anna Bay. Mucha gente había venido a mirar, incluso el gobernador, y todos saludamos con hurras mientras el petrolero emprendía su solitario viaje a Inglaterra. Una vez allí, contribuiría a recargar la Royal Air Force.

Los marineros del Empire Tern que estaba pintado de un color blanco apagado y que ostentaba numerosas oxidaciones por todas partes, nos devolvían los saludos y alzaban los dedos en forma de «V» haciendo el signo de la victoria.

Estuvimos mirando hasta que el barco piloto recogió al práctico que estaba a bordo del Empire Tern y emprendió el regreso hacia Willemstad. En el preciso momento en que estábamos listos para marcharnos, se oyó una explosión y miramos todos hacia el mar. El Empire Tern estaba desapareciendo entre una cortina de rojas llamas y un espeso humo negro comenzaba a ascender hacia el cielo.

—¡Allí está! —gritó alguien.

Miramos con atención apartando la vista de las llamas y, aproximadamente a una milla de distancia, vimos una sombra oscura en el agua. Era un submarino alemán, que había subido a la superficie para contemplar la muerte del barco.

Un remolcador y varias lanchas motoras no muy grandes se dirigían rápidamente hacia el Empire Tern, pero todo era inútil. Algunas mujeres lloraban ante la vista de lo ocurrido y vi hombres, mi padre entre ellos, con lágrimas en los ojos. Me parecía imposible que, sólo unas pocas horas antes, yo hubiera estado en la cubierta del barco. Ya no me sentía excitado por la guerra; había empezado a comprender que sólo significaba muerte y destrucción.

—Voy a llevar a Phillip a Norfolk —dijo mamá a papá aquella misma noche.

Supe que se había decidido del todo. Mi padre estaba cansado y descorazonado por lo que le había sucedido al Empire Tern. No habló mucho, pero recuerdo que dijo:

—Grace, creo que cometes un error. Ambos estáis seguros aquí en Scharloo.

Yo me preguntaba por qué no le ordenaba simplemente que se quedara. Pero… él no era de esa clase de hombres.

Los soleados días y las oscuras y calmadas noches transcurrieron lentamente durante el mes de marzo. Los barcos habían empezado nuevamente a navegar desafiando a los submarinos. Algunos se perdieron. Henrik y yo a menudo bajábamos a Punda para ver cómo se hacían a la mar, esperando que nada les sucediera.

Ni mi padre ni mi madre hablaban mucho acerca de nuestra partida. Creí que, con la llegada de dos destructores americanos junto con el crucero holandés Van Kingsbergen para proteger los petroleros del lago, mi madre cambiaría de idea, pero únicamente se puso más nerviosa. Un día a principios de abril, me dijo:

—Finalmente tu padre ha conseguido pasaje para nosotros y, por tanto, hoy será tu último día de escuela aquí, Phillip. Mañana empezaremos a hacer el equipaje y nos marcharemos el viernes a bordo de un barco con destino a Miami. Desde allí tomaremos el tren para Norfolk.

De golpe me sentí vacío, y luego me enfurecí y acusé a mi madre de ser una cobarde. Me respondió que me marchase a la escuela, y yo le contesté que la detestaba.

Aquel día en el colegio intenté pensar qué podría hacer. Maquiné irme a alguna parte y esconderme hasta que el barco hubiera zarpado pero, en una isla del tamaño de Curaçao, no hay lugar donde ocultarse. Además, sabía que esto causaría preocupaciones a mi padre.

Por la noche, cuando llegó a casa, le dije que quería quedarme con él. Sonrió y puso su largo y delgado brazo en mi hombro. Suavemente me dijo:

—No Phillip, creo que es preferible que te marches con mamá. En una época como la presente, no puedo estar mucho en casa.

Su voz era triste, pese a que intentaba aparentar una cierta alegría. Me comentó lo bonito que sería el regresar a Estados Unidos y cuántas cosas había yo encontrado a faltar mientras estábamos en la isla. Yo no podía recordar ninguna.

Después hablé con mi madre acerca de la posibilidad de quedarnos en Willemstad y ella se enfadó mucho con nosotros dos. Se quejó de que no la queríamos y empezó a llorar.

Finalmente, mi padre terminó la conversación diciendo:

—Phillip, la decisión está tomada. Te marcharás el viernes con tu madre.

Ayudado por ella, hice mi equipaje y me despedí de Henrik van Boven y de los otros muchachos. Les dije que estaríamos fuera sólo una corta temporada y que íbamos a visitar a mis abuelos, o sea los padres de mi madre, en Norfolk, pero tenía el presentimiento que pasaría mucho tiempo antes de que volviera a ver Curaçao y a mi padre.

El viernes por la mañana temprano embarcamos en el S.S. Hato en el Sta. Anna Channel. Se trataba de un pequeño carguero holandés de altas proa y popa, con el puente en el centro. Lo había visto varias veces en Sta. Anna Bay ya que normalmente hacía el recorrido entre Willemstad, Aruba y Panamá. Ostentaba una larga chimenea que siempre vomitaba un humo negro y espeso.

En nuestro camarote, que estaba en la banda de estribor y daba a la cubierta de botes, mi padre dijo:

—Bien, ya puedes relajarte, Phillip. Los alemanes nunca malgastarían un torpedo en este viejo bote.

No obstante, le vi cómo observaba los botes salvavidas; también inspeccionó las mangueras de cubierta. Yo sabía que estaba preocupado.

Había otros ocho pasajeros a bordo y todos se estaban despidiendo de sus parientes, igual que nosotros decíamos adiós a papá. Siguiendo la tradición, varias personas traían flores y vino. Era como salir a navegar en los días de antes de la guerra, me dijeron.

Papá sonreía y se mostraba muy alegre pero, cuando la sirena del Hato emitió tres fuertes pitidos indicando que era la hora de zarpar, nos dijo adiós con los dientes muy apretados. Me abracé a él largo rato y finalmente me recomendó:

—Cuida mucho a tu madre.

Le respondí que así lo haría.

Navegamos por Sta. Anna Bay y el Puente de la Reina Emma se abrió para nosotros. Con ojos llorosos contemplé el fuerte y las viejas construcciones de Punda y Otrabanda. Navegaban algunas goletas locales regresando a puerto.

En aquel momento mi madre señaló a alguien con el dedo. Vi un hombre alto en pie en la muralla de Fort Amsterdam agitando la mano en señal de despedida. Sabía que era mi padre. Nunca podré olvidar aquella alta y solitaria figura erguida sobre la muralla marítima.

El S.S. Hato llegó a alta mar y empezó a cabecear suavemente. Enfilamos hacia Panamá, puesto que teníamos que efectuar una parada allí antes de seguir hacia Miami. Vi que en las cubiertas de carga de proa y popa había cuatro enormes máquinas de bombeo que tenían que ser entregadas en Colón, el puerto de la entrada atlántica del Canal de Panamá.

Permanecí en cubierta durante largo rato, sentado junto a un bote salvavidas, mirando hacia Curaçao, sintiéndome sólo y triste.

Después, mi madre ordenó:

—Ven adentro ahora.

3

NOS TORPEDEARON más o menos a las tres de la mañana del día 6 de abril de 1942, dos días después de salir de Panamá.

Fui despedido de la litera superior y de pronto me hallé a cuatro patas en el suelo del camarote. Oíamos la sirena del barco sonando continuamente, había ruidos de metal que se cuarteaba y muchísimos gritos. Todo el buque temblaba, produciendo una impresión como si nos hubiésemos parado y estuviéramos inmóviles en medio del mar.

Mi madre mantuvo la calma, al contrario de lo que hacía en casa. Me habló con tranquilidad mientras se vestía, recomendándome atara los zapatos y me asegurara de llevar mi suéter de lana y me pusiera la chaqueta de piel. No le temblaban las manos.

Me ayudó a ponerme el chaleco salvavidas y después se puso el suyo diciendo:

—Ahora debes recordar todo lo que se nos dijo acerca de la eventualidad de abandonar el barco.

Los oficiales nos habían dado adiestramiento cada día.

Mientras mamá estaba hablando sobrevino otra violenta explosión. Nos vimos proyectados contra la puerta del camarote, que el camarero había recomendado no cerráramos con llave ante el riego de que pudiera encallarse. La abrimos y salimos hacia la cubierta de botes, que ya empezaba a inclinarse.

Todo estaba teñido de rojo y se oían muchos ruidos crepitantes. La totalidad de la popa del barco estaba en llamas y los marineros trabajaban arriando el bote salvavidas de nuestra cubierta. Los tubos habían reventado y el vapor silbaba y se escapaba por todas partes. El calor de las llamas nos ahogaba.

En cuanto el bote salvavidas estuvo arriado, el capitán bajó del puente. Era un hombrecillo bajito de blancos cabellos encrespados y actuaba de la manera como a mí me habían contado que debían actuar los capitanes. Se colocó junto al bote, bajo el resplandor del fuego, muy alerta, dando órdenes a la tripulación. Llevaba una cartera y un instrumento de navegación, que sabía que era un sextante. En la banda opuesta del buque se estaba arriando otro bote salvavidas.

Cerca de nosotros, dos marineros armados de hachas cortaban cabos y dos grandes balsas fueron botadas al agua, que se veía muy negra excepto por algunas lagunas en llamas producidas por el gas oil quemando.

—¡Venga, moveos! ¡Pasajeros a los botes! —gritó el capitán.

Varias latas de aceite lubricante se habían incendiado y explotaban ruidosamente, aunque las que estaban muy delante todavía no estaban expuestas al fuego.

Un marinero asió la mano de mi madre ayudándola a pasar al bote y, a continuación, sentí cómo alguien me pasaba a las manos de otro marinero y de ahí al bote. También otros pasajeros fueron ayudados y alguien chilló:

—¡Abajo con él!

En aquel momento, el Hato dio unos fuertes bandazos y vi que había algún problema con el descendimiento de los botes.

La proa se inclinó hacia abajo y recuerdo que, de improviso, todos estábamos en el agua. Vi a mi madre cerca de mí y le grité fuertemente. Entonces, algo me golpeó desde arriba.

Mucho rato después (me dijeron que cuatro horas), abrí los ojos y vi el cielo azul brillando arriba, al tiempo que se movía adelante y atrás; asimismo podía oír el batir del agua. Me dolía la cabeza terriblemente y cerré los ojos otra vez pensando que quizá estaba soñando. Fue entonces cuando una voz dijo:

—¡Hola jefecito!, ¿cómo te sientes?

Volví la cabeza.

Vi un enorme hombre de color, muy viejo, sentado en la balsa muy cerca de mí. Era muy feo. Tenía la nariz aplastada y la cara ancha; su cabeza era una masa de cabello gris ensortijado. Por un momento no supe ni pude figurarme dónde estaba o quién era. Entonces recordé que le había visto trabajando como parte de la tripulación del Hato.

Miré a mi alrededor en busca de mi madre, pero no había nadie más en la balsa. Solamente este hombre enorme, yo y un gran gato negro y gris que se estaba lamiendo las patas traseras.

—Has sufrido un golpe muy terrible en la cabeza, jefe. Algo muy fuerte, pero yo pude auparte a bordo de esta balsa —dijo el Negro.

Se acercó a mí. Su cara no podía haber sido más negra

ni sus dientes más blancos. Componían una trinchera de alabastro en su boca y sus labios purpúreos los rodeaban como la carne de ciertos crustáceos. Tenía un gran verdugón, como una cicatriz, en la mejilla izquierda. Supe que era antillano. Había visto muchos de ellos en Willemstad, pero era el más grande que jamás había visto.

¿Dónde estamos?, ¿dónde está mi madre? —pregunté, sentándome.

Sacudió la cabeza al tiempo que fruncía las cejas.

—Creo de verdad que tu madre está sana y salva en una balsa como esta o quizás la han aupado en un bote. De verdad lo creo.

Cuando después de esto me sonrió, su cara me pareció menos terrorífica.

—Respecto a nuestra posición, debo creer que estamos en algún lugar cerca de los cayos, un lugar posiblemente a unos quince grados latitud y ochenta longitud. Casi seguro que los estábamos pasando cuando aquel traicionero torpedo partió el barco en dos. En dos minutos nos fuimos...

Miré a mi alrededor. No había nada excepto un mar azul salpicado muy ocasionalmente con algunas manchas anaranjadas de algas. Ni rastro del Hato u otros botes o balsas. Sólo el mar y algunas aves que daban vueltas a una cierta altura. Aquel solitario mar, el agudo dolor de mi cabeza y el saber que me encontraba aquí sólo con un hombre de color en lugar de mi madre, me hizo romper a llorar.

El Negro, mirándome con sus ojos semi-rojizos me animó:

— Bueno jefecito, yo, Timothy, me siento más o menos igual de mal, pero no serviría de nada hacer lo mismo, ¿eh?

Su voz sonaba a pleno calipso, suave y musical, y las palabras se deslizaban como terciopelo.

Me sentí algo mejor, pero la cabeza me dolía terriblemente.

Indicando al gato con la cabeza, dijo:

—Este es Stew Cat [1], el gato del cocinero. Subió a la balsa y no tuve corazón para echarlo al mar. Estaba empapado del petróleo que flotaba en el agua.

Stew estaba muy ocupado lamiéndose.

Miré más detenidamente al hombre de color. Era realmente muy viejo pero parecía tener mucha fuerza. Los músculos resaltaban en el ébano de sus brazos y hombros. Tenía el pecho poderoso y el cuello del tamaño de un tronco de árbol pequeño. Contemplé sus manos y pies. La piel parecía de cocodrilo y estaba agrietada, curtida por la edad y por andar descalzo en las ardientes cubiertas de las goletas y los cargueros.

Vio cómo le estaba examinando y amablemente me dijo:

—Echa la cabeza hacia atrás, jefecito, y descansa un rato más. No mirar directamente al sol. Es demasiado fuerte.

Me sentí mareado, por lo que me eché hacia un lado para vomitar. Se acercó a mí y me sujetó la cabeza entre sus grandes y pesadas manos. En aquel momento no importaba que fuera negro y feo.

—Esto estar bien, esto estar bien —murmuró.

Cuando me encontré mejor, me ayudó a situarme de nuevo en el centro de la balsa, al tiempo que decía...

—Es la mar de natural que te suceda esto. Es el shock o porque han pasado todas estas cosas tan terribles.

Observé cómo utilizó sus poderosas manos para arrancar bordes de madera de la parte exterior de la balsa. Los juntó en dos triángulos e introdujo las bases en las ranuras. Se quitó la camisa y los pantalones y a continuación me pidió

(1) Stew Cat: gato de cocido

los míos; ignoraba lo que había sucedido con mi chaqueta de piel y mi suéter. Muy pronto tuvimos una especie de refugio que nos protegía del ardiente sol.

Reptando para colocarse debajo y a mi lado, me dijo:

—¡Tenemos especial buena suerte!, jefecito. El barrilete de agua no ardió cuando fue botada la balsa y tenemos unas cuantas galletas, un poco de chocolate y las cerillas están secas en la caja de hojalata. Así tenemos especial buena suerte.

Entonces me sonrió.

Yo opinaba que nuestra suerte no era tan buena. Pensaba en mi madre, que se hallaría en otra balsa o en un bote, sin saber que yo estaba bien. También pensaba en mi padre que estaría allá en Willemstad. Era terrible no poder decirle dónde me encontraba. En pocas horas seguro que mandaría lanchas y aviones.

Adiviné que el enorme Negro notó en mis ojos lo que pensaba.

—No te desesperes, jefecito. Alguien nos encontrará. Muchas goletas van por esta ruta y además hay barcos en camino hacia Jamaica y otros lugares.

Al cabo de un rato, arrullado por los suaves y agradables sonidos del mar me fui durmiendo otra vez. Me encontraba muy cansado y la cabeza todavía me dolía mucho. El madero que me golpeó seguro que me dio un soberano estacazo en la parte izquierda.

Cuando volví a despertarme ya era plena tarde. El sol empezaba a declinar y la brisa que nos llegaba era fresca, pero me sentía como ardiendo y el dolor persistía. El Negro estaba sentado de espaldas a mí, canturreando algo en calipso. Su espalda era como una gran muralla de carne negra y en uno de sus hombros observé una tremenda cicatriz.

—¿Cómo te llamas? —le pregunté.

Al oír mi voz, se giró hacia mí con una amplia sonrisa.

—¡Ah!, ya vuelves aquí conmigo. Esto estaba muy solitario.

— ¿Cuál es tu nombre? —repetí.

—¿Yo, mi mismo?, ¡Timothy!

—¿Apellidos?

—Sólo tengo un nombre. Es Timothy —contestó riéndose.

—Yo me llamo Phillip Enright, Timothy.

Mi padre me había enseñado que siempre que me dirigiese a alguien que fuese adulto, debía llamarle «señor», pero Timothy no me parecía ser un señor. Además, era negro.

—Conocí a un Phillip —dijo— que andaba por Saint John, pero era un tipo bárbaro. Sí que lo era.

Timothy se rió como para sí mismo. Entonces le pedí un trago de agua.

Asintió diciendo:

—El sol quema.

Levantó una sección del suelo de la balsa y sacó el barrilete, que medía unos dos pies de largo y tenía una taza de hojalata atada. Con mucho cuidado para no tirar ni una gota me dijo:

—Está mejor tomar sólo un bárbaro pequeño sorbito; lo suficiente para humedecer la lengua.

—¿Por qué? —le pregunté— Es un buen depósito.

Registró el inhóspito mar con la mirada y después me miró con sus ojos remotos de anciano, comentando:

—El grandote depósito puede ir perdiendo líquido.

—Dijiste que nos rescatarían pronto —le recordé.

—Ah, sí —respondió inmediatamente—. Pero debemos ser prudente con lo que tenemos.

Bebí el poquito de agua que me puso y le pedí más. Me

contempló en silencio durante un momento y, entonces, sin mirarme de frente me dijo:

—Sólo muy poquito más, jefecito.

Yo tenía los labios cortados y la garganta seca y por tanto quería una taza llena.

—Por favor, llénala hasta arriba —le pedí.

Timothy vertió únicamente unas pocas gotas en el fondo del recipiente.

—Esto no es suficiente, me quejé. Yo sentía que podía beber tres tazas llenas, pero él apretó fuertemente el tapón de madera en el depósito e ignoró mi demanda.

—Necesito agua, Timothy, le dije. Estoy ardiendo.

Sin responder, abrió la trampilla de la balsa y aseguró nuevamente el barrilete en su sitio. Fue entonces cuando empecé a aprender lo tozudo que podía ser este hombre. Realmente, Timothy comenzaba a no gustarme.

—Jefecito, —me dijo metiéndose, en el pequeño refugio— tal vez antes de que se haga de noche pase una goleta por esta ruta y, si esto ocurre, te podrás beber todo el barril. Pero, quizás, la goleta no pasa; así tenemos que procurar que nuestra agua dure.

En tono retador le dije:

—Nos encontrará una goleta; mi padre habrá mandado barcos a buscarnos.

—Verdad, jefecito —respondió sin siquiera mirarme.

Entonces cerró los ojos y ya no me dirigió más la palabra. Sólo se estiró al máximo como una masa de carne negra silenciosa.

No podía aguantarme las lágrimas y estoy convencido de que me oyó, pero no se movió un músculo en su cara. Ni tampoco alzó la vista cuando me escurrí fuera del refugio para alejarme de él tanto cómo me fuese posible. Permanecí en el borde de la balsa un largo rato, pensando en mi casa y acariciando el lomo del gato.

Aunque antes no lo había pensado, empecé a creer que mi madre tenía razón. No le gustaban. Tampoco le agradaba cuando Henrik y yo bajábamos a Sta. Anna Bay y jugábamos cerca de las goletas. Pero esto siempre era divertido; la gente de color se reía de nosotros y nos tiraba plátanos o papayas.

Cuando se enteraba de donde habíamos estado, solía decir:

—No son iguales que tú, Phillip. Son diferentes, viven de distinta manera y así debe ser.

Henrik, que se había criado en Curaçao con ellos, no podía comprender por qué mi madre pensaba así.

—¡Estás guardando toda el agua para ti! —le grité.

No creo que estuviese durmiendo, pero no respondió.

Cuando el cielo empezó a volverse de un color azul oscuro, Timothy se levantó y oteó el horizonte a su alrededor. Con una mirada que no me pareció nada amistosa, dijo:

—Si hay suerte, algunos peces voladores caerán en la balsa. Podemos ahorrar las galletas comiendo peces. Además, los peces contienen agua.

Yo estaba hambriento, pero la idea de comer pescado crudo no me atraía y por tanto no respondí.

Antes de que oscureciese, empezaron a saltar acá y allá; sus cortas aletas en forma de ala les llevaban a efectuar vuelos de veinte o treinta pies y algunas veces más.

Uno muy grande salió del agua, voló hacia nosotros y cayó en el suelo de la balsa. Timothy lo agarró, gritando alegremente. Le golpeó en la cabeza con el mango de su cuchillo y lo lanzo bajo el cobijo. Pronto llegó a bordo otro más, aunque no tan grande. Timothy también se apoderó de él.

Antes de que cayera totalmente la oscuridad ya los había limpiado y con suma destreza cortó carne de los lados. Me ofreció las dos partes más grandes.

—¡Cómetelas! —me ordenó.

Sacudí la cabeza negativamente.

Me miró bajo la descendiente luz y suavemente me dijo:

—No vamos a tener otra comida esta noche. Mejor que comas, jefecito.

Diciendo esto, apretó un pedazo de pescado entre los dientes sorbiéndolo, ruidosamente.

Efectivamente, eran diferentes. Comían pescado crudo.

Le volví la espalda y me tumbé boca abajo. Pensé en Curaçao, cálido y seguro, recordé nuestra casa en Scharloo y a mi padre. Entonces eché la culpa a mi madre por estar en esta balsa con este hombre de color, tozudo y viejo. Todo era culpa de ella por haber querido marcharse de la isla.

Bruscamente exploté:

—Ni siquiera yo estaría aquí contigo si no hubiese sido por mi madre.

Supe que Timothy me estaba mirando en la semi oscuridad cuando me dijo:

—¿Fue ella la que empezó esta terrible guerra, verdad, jefecito?

Parecía una sombra amorfa al otro lado de la balsa.

4

UNA TOTAL OSCURIDAD emborronaba el mar, que se volvió frío y húmedo. Timothy desmontó el cobijo y volvimos a ponernos la camisa y los pantalones que estaban rígidos debido a la sal, mojados y pegajosos. Se alzó el viento, que comenzó a lanzar una ligera espuma que mojaba toda la balsa. Las estrellas empezaron a brillar.

Permanecimos en el centro de la balsa, uno al lado del otro, mientras la embarcación navegaba sin rumbo por el ancho mar. El gato Stew frotaba el lomo contra mis pies y, al poco rato, se enroscó para dormir. Me sentó bien, porque hallé su cuerpo muy cálido.

Pensé que era algo muy extraño para mí, un chico de Virginia, estar echado junto a este gigantesco Negro en medio del océano y aventuré que quizá Timothy estaba pensando lo mismo.

Una vez, nuestros cuerpos se tocaron y ambos nos echamos atrás, aunque yo fui el más rápido en hacerlo. Sabía que en Virginia ellos siempre vivían en lugares determinados de la ciudad y nosotros, en los nuestros. Algunas veces había recorrido con mi padre las cabañas y chabolas de la población de color. Recuerdo que, en una de ellas, vendían cangrejos condimentados con especies.

Mayormente los veía en verano, pescando o bañándose desnudos en el río, pero no conocía realmente a ninguno de ellos. Ni tampoco en Willemstad les trataba en realidad, aunque Henrik van Boven sí lo hacía y se encontraba mejor que yo entre ellos.

—Timothy, ¿dónde está tu hogar? —le pregunté.

—St. Thomas —me respondió— Charlotte Amalie en San Thomas. Y añadió, es una de las Islas Vírgenes.

—Entonces eres americano —contesté.

Recordé de la escuela, que habíamos comprado las Islas Vírgenes a Dinamarca.

Se rió.

—Supongo que sí, jefecito, nunca presté mucha atención a eso. He navegado por todas las islas, así como por Venezuela, Colombo, Panamá… Nunca presté mucha atención a que yo fuese americano.

Entonces le comenté: —Oye, Timothy, ¿tus padres eran africanos?

Se rió quedamente, y dijo con suavidad:

— Jefecito, ¿quieres que te diga que realmente vengo de África?

—Di lo que quieras.

La cosa estaba en que Timothy se parecía mucho a los hombres que yo había visto en ilustraciones de la jungla, con nariz chata y labios gruesos.

—No recuerdo nada salvo estas islas —dijo Timothy

moviendo la cabeza negativamente— Eso es pura barbaridad pero no recuerdo nada de un lugar llamado África.

No sabía si me estaba diciendo la verdad o no; parecía un típico africano.

—¿Qué hay de tu madre? —le pregunté.

En este momento se rió con ganas, a plena voz.

—Eso es una barbaridad aún más grande, no recuerdo a un padre ni tampoco a mi madre. Fui criado por una mujer que se llamaba Hannah Grumbs…

—Entonces, eres huérfano —afirmé.

—Eso supongo, jefecito, eso supongo.

Se reía hacia sus adentros.

Miré hacia él con atención, pero otra vez era como una sombra, una gran masa.

—¿Cuántos años tienes, Timothy? —le pregunté.

—Este hecho es también muy misterioso. Un poco más de sesenta, porque los músculos de las piernas me hablan, se quejan continuamente. Pero a decir verdad, no lo sé exactamente.

Yo estaba asombrado viendo que una persona no supiese su propia edad. Ahora ya creía firmemente que Timothy había venido de África, pero no se lo quise decir.

—Yo, tengo casi doce años —dije—.

Quería que se enterase de que tenía casi esa edad para que cesara de tratarme como si tuviese la mitad.

—Esa es una edad muy importante —asintió Timothy—. Ahora tienes que procurar dormir tranquilo. Mañana es un día muy largo y tenemos mucho que hacer.

Me reí. Ahí estábamos, metidos en esta balsa movediza, con nada que hacer excepto vigilar si pasaba alguna goleta o un avión.

—¿Qué tenemos que hacer? —le pregunté.

Sus ojos buscaron los míos en la oscuridad. Se incorporó sobre los codos.

—Seguir vivos, jefecito, eso es lo que tenemos que hacer.

Pronto hizo mucho frío y empecé a tiritar. En parte era por el helor, pero también influía el temor que sentía. Si la balsa volcaba, sabía que los tiburones vendrían a por nosotros.

La cabeza volvía a dolerme violentamente. Durante el día, el dolor había sido sordo y continuo, pero ahora era como un martilleo en ambos lados del cráneo. En cierto momento, durante las primeras horas de la noche, sentí su callosa mano en mi frente. Luego me levantó y me colocó al otro lado de él.

Al propio tiempo le oí murmurar:

—Jefecito, el viento ha cambiado. Estarás más caliente en este lado.

Yo todavía tiritaba y temblaba y al cabo de poco rato me apretó contra él, al tiempo que Stew se hacía una bola cálida a mis pies. Arropado a él, percibía su olor. Timothy no olía como mi padre o mi madre. Papá siempre exhalaba olor a "Bay Rum", que era la loción de afeitar que usaba, y mamá exhalaba olor a alguna clase de perfume o agua de colonia. Timothy olía diferente y muy fuerte, como los hombres de color que trabajaban en las cubiertas de los petroleros cargando combustible. Al cabo de un rato ya no me importó el olor, porque la espalda de Timothy era muy cálida.

La balsa siguió cabeceando por las ligeras olas a lo largo de toda la larga noche.

No creo que Timothy durmiera mucho mientras duró la oscuridad pero, en cualquier caso, yo había oído decir que las personas mayores no duermen mucho. Me desperté cuando una pálida banda de luz empezó a iluminar el este.

—Estás mejor, jefecito? —me saludó— ¿Cómo va la cabeza?

—Todavía me duele —admití.

—Un golpe en la cabeza tarda algunos días en desaparecer —me explicó.

Timothy abrió la trampilla de la balsa para sacar el barrilete del agua y la caja de hojalata que contenía las galletas, las pastillas de chocolate y las cerillas secas.

Me senté, sintiéndome mareado. Me permitió beber media taza de agua y comer dos galletas duras y luego alimentó a Stew con las sobras del pez volador. Comimos en silencio a medida que la luz se iba enseñoreando lentamente del tranquilo y grasiento mar. El viento había caído y el sol ya empezaba a quemar.

Timothy masticaba lentamente media galleta y comentó:

—Jefecito, hoy una goleta pasará; apostaría cualquier cosa.

—Espero que sí —corroboré.

—Creo de veras que no estamos muy lejos de Providencia y San Andrés.

Le miré fijamente y pregunté:

—¿Son acaso islas?

Asintió.

Continué observándole. Parecía como si hubiera algo invisible que nos separara, como una neblina. Me froté los ojos y los abrí de nuevo, pero la neblina seguía allí. Miré hacia la gran bola roja que formaba el sol, que ahora ya se destacaba en el horizonte, y me pareció difuso.

—Creo, —dije— que algo le pasa a mis ojos.

—¡Te lo advertí!, miraste directamente al sol ayer.

—¡Claro! ¡Eso era! Había mirado demasiado al sol.

—Hoy, —dijo Timothy— no mires el agua. El brillo es malo también.

Se puso a arreglar los triángulos para nuestro refugio y yo me quité la ropa. En cuanto hubo colocado pantalones y camisa, me puse a cubierto. Mi dolor de cabeza era ahora casi insostenible y recuerdo que gemía. Timothy rasgó un trozo de su camisa, que también estaba colocada como techo, lo mojó en agua dulce y lo colocó sobre mis ojos. Se notaba la preocupación en su voz cuando hablaba.

Más tarde, aparté el trapo de los ojos y miré hacia arriba. El interior de nuestro refugio estaba en la sombra y era oscuro, pero el dolor estaba empezando a ceder.

—Ya no me duele tanto como antes, —pude decir.

—¡Claro!, jefecito. Ves, eso sólo requiere tiempo.

Volví a colocarme el paño húmedo y frío en los ojos y caí nuevamente en el sueño. Cuando desperté era de noche, pero el aire se notaba caliente y la brisa que soplaba también era cálida. Seguí echado, meditando.

—¿Qué hora es? —pregunté.

—Alrededor de las diez.

—¿De la noche?

—Es de día —contestó Timothy con asombro en la voz.

Me puse la mano frente a la cara. Incluso en la noche más oscura puedes vislumbrar tu propia mano, pero me era imposible ver la mía.

Lancé un fuerte alarido a Timothy:

—¡Estoy ciego!, ¡estoy ciego!

—¿Qué?

Su voz sonó como un rugido de temor.

Entonces comprendí que se inclinaba hacia mí. Sentí su respiración en mi rostro.

—Jefecito, no puedes estar ciego —me dijo.

Entonces, me sacó del cobijo a empujones.

—Mira al sol —ordenó.

Sus manos se acercaron a mi cara y noté su fuerte calor, pero todo era negrura.

El silencio pareció durar para siempre, mientras me mantuvo la cara en dirección al sol. Un largo y estremecedor suspiro brotó de su enorme cuerpo y suavemente me dijo:

—Ahora, jefecito, tienes que echarte y descansar. Lo que te ha sucedido pasará. Es algo natural y pasajero.

Pero su voz sonaba hueca y falsa.

Me eché en la cálida cubierta, abriendo y cerrando los ojos una y otra vez, intentando alzar el telón de negrura. Froté mis ojos pero nada cambió. Fue en aquel momento, que me di cuenta de que el dolor había desaparecido. Ya no estaba pero me había dejado ciego.

Como desde muy lejos, pude oír mi propia voz que decía:

—Ya no siento ningún dolor, Timothy. El dolor ha desaparecido.

Creo que él estaba tratando de reflexionar acerca de lo ocurrido. Al cabo de unos minutos respondió:

—Una vez, allá en Barbados, un hombre recibió un golpe bárbaro en la cabeza al desplazarse un botalón. Este hombre se quedó ciego también. Durante tres días enteros vio la oscuridad. Después se le pasó, ¡es verdad…!

—¿Crees que eso es lo que me sucederá a mí?

—Pienso que esto es verdad, jefecito —dijo.

A continuación, Timothy se quedó muy callado.

Al cabo de un rato, yaciendo allí en la oscuridad, escuchando los sonidos de la balsa y notando su movimiento, sentí cómo todo me venía encima. Estaba ciego y nos hallábamos perdidos en el mar.

Empecé a ir a gatas por el suelo llamando a gritos a mi madre y a mi padre pero sentí las fuertes manos de Timothy sobre mis brazos. Me mantuvo abrazado y me dijo en voz baja y dulce:

— Jefecito, jefecito…

Y lo siguió repitiendo una y otra vez.

Nunca olvidaré aquella primera hora en que supe que estaba ciego. Estaba tan atemorizado que el respirar me era muy difícil. Era como si me hubieran metido en algún lugar totalmente oscuro del cual no podía salir.

Recuerdo que en aquel momento mis temores se convirtieron en enfado. Enfado con Timothy por no haberme dejado en el agua con mi madre, y enfado con ella, porque yo me encontraba en la balsa. Empecé a golpearle y recuerdo que me dijo:

—Si eso puede hacerte sentir mejor, sigue.

Un rato después, me sentí muy cansado y me derrumbé en la ardiente cubierta.

5

CREO QUE ERA HACIA EL MEDIODÍA del tercer día a bordo de la balsa, cuando Timothy exclamó alborozado:

—¡Oigo un motor!

—¿Un motor?

—¡Chisssst!

Escuché con atención y, efectivamente, se oía muy lejos un sonido que llegaba muy débilmente por encima del murmullo del mar. También pude oír que Timothy se estaba moviendo.

—Es un avión —dijo.

El corazón me empezó a golpear fuertemente. Nos estaban buscando. Tanteando, salí de debajo del cobijo e intenté mirar hacia el sonido, pero no podía ver nada.

Oí las bisagras de la trampilla rechinando. Timothy dijo, muy bajito como si temiera asustar al sonido:

—Saber que estamos aquí, si ver humo.

Arrancó una de las patas del triángulo y oí una tela que se rasgaba.

Muy pronto dijo:

—Ya hemos hecho la antorcha, jefecito. El hombre de ahí arriba tiene que ver el humo muy bien, muy bien.

El débil zumbido del avión sonaba ahora más cerca. Al cabo de un momento olí a tela quemada y supe que Timothy apuntaba al cielo con el trozo de madera ardiendo.

—¡Mirad aquí abajo!, gritó.

Pero ya parecía, que el zumbido se estaba desvaneciendo.

—¡Lo veo, lo veo! ¡Por la banda de babor! —chilló Timothy.

Intenté que mis ojos taladraran la oscuridad:

—¿Viene hacia nosotros?

—No se, no se, jefecito —me replicó ansiosamente.

—Ahora ya no puedo oírle —le dije.

Ya no había nada en el aire, excepto los sonidos del mar. Timothy aulló:

—¡Mirad aquí abajo! ¡Hay una balsa con un jefecito ciego, un viejo y el gato Stew! ¡Mirad aquí abajo, os digo!

Ya no se oía el zumbido. Sólo el murmullo del agua contra la borda y el sonido de la ligera brisa sacudiendo nuestra pequeña tienda.

Otra vez, estábamos solos en medio del océano.

Después de un momento de silencio, oí el chisporroteo del agua cuando Timothy apagó la antorcha. Suspiró profundamente diciendo:

— Estaré preparado la próxima vez, lo prometo. Dejaré secar la antorcha y entonces estaré preparado.

Se sentó cerca de mí.

—Es bueno no rompernos el alma con esto. Estamos en la ruta de los aviones, los barcos siguen las mismas rutas.

No dije nada y coloqué la cabeza sobre las rodillas.

—Ánimo, jefecito. Hoy nos encontrarán. De verdad, jefecito.

Pero el largo y cálido día iba transcurriendo sin nada a la vista. Yo sabía que Timothy inspeccionaba el mar continuamente. Todo estaba tan en calma que la balsa ni siquiera parecía estar derivando. Una vez, me arrastré hasta la borda para tocar la cálida agua y noté que Timothy estaba justamente detrás de mí.

—Cuidado, jefecito —me dijo—, los tiburones están siempre hambrientos, siempre esperando que un hombre se caiga por la borda.

Apartándome hacia atrás, le pregunté:

—¿Hay muchos por aquí?

—Sí, muchísimos pero, mientras tengamos nuestra balsa, no nos molestan para nada.

Anteriormente, estando en la muralla de Willemstad, yo había visto algunas veces sus aletas en el agua. También los había visto en el muelle del mercado Ruyterkade, con la boca abierta, mostrando aquellos agudos y terribles dientes.

Volví a introducirme en la tienda y pasé mucho rato acariciando a Stew, el gato, que ronroneaba y se apretaba contra mí. Me sentí contento por haber podido verle y haber visto a Timothy antes de quedar ciego. Pensé lo horrible que hubiera sido despertarme en la balsa y no saber como eran.

Seguramente que Timothy estaba en pie junto a nosotros porque de pronto le oí decir:

—El gato no trae buena suerte.

— Pero causar la muerte de un gato trae mucha peor suerte —añadió al cabo de un momento.

—No creo que Stew Cat traiga mala suerte — dije—. Estoy contento de que esté aquí con nosotros.

Timothy no respondió pero se volvió de espaldas, seguramente para vigilar el mar una vez más. Yo podía imaginarme sus ojos rojizos, incrustados en aquella cara negra y cubierta de cicatrices, escrutando las aguas.

—Cuéntame lo que hay por ahí, Timothy —le pedí.

Era muy importante para mí conocer la situación. Deseaba saber todo lo que había allá afuera.

—Sólo millas de agua azul, millas de agua azul —contestó riéndose.

—¿Nada más?

Se dio cuenta de lo que yo quería.

—¡Oh, claro!, veo un pez que salta fuera del agua. Eso significa que otro grande lo está cazando. Poquito más atrás, una tortuga pasa por la banda de babor, pero está demasiado lejos para alcanzarla...

Sus ojos se estaban convirtiendo en los míos.

—¿Qué hay en el cielo, Timothy?

—¿En el cielo? —lo revisó — No hay nubes, jefecito, sólo cielo azul, igual que estaba ayer. Pero de vez en cuando veo un petrel. Hace un rato, un pájaro bobo...

Me reí por primera vez en todo el día. Era un nombre gracioso para un ave.

—¿Un pájaro... bobo?

Timothy estaba muy serio:

—Este bobo que vi era un cara azul, quizás anidaba en Serranilla, quizás no. Se alimentan de peces voladores. Vigilo mucho las aves, nos dicen que estamos muy cerca de la costa.

—¿Cómo es un bobo, Timothy?

—Nada particular —replicó—. Cola normal, pico agudo, cuerpo casi blanco.

Intenté imaginármelo, preguntándome si alguna vez volvería a ver a un pájaro.

6

POR LA MAÑANA TEMPRANO (sabía que era temprano, porque el aire todavía era frío y había humedad en los bordes de la balsa), oí a Timothy que gritaba:

—¡Veo una isla, verdad!

En un estado de excitación extremo, vacilé al ponerme en pie y caí por la borda.

Me quedé sumergido por la caída al tiempo que llamaba a Timothy pero luego salí a la superficie boqueando. Oí una zambullida y supe que él también estaba en el agua.

Algo me rozó la pierna y creí que era Timothy. Yo sabía nadar, pero no tenía ni idea en qué dirección hacerlo y por ello sólo movía brazos y piernas flotando como mejor podía. Fue cuando llegó a mis oídos el estremecedor rugido de Timothy:

¡Tiburones!

Y al momento estuvo cerca de mí.

Me agarró por el pelo con una mano y empleó la otra para empujarme hacia la balsa. Yo tenía la cabeza en el agua y procuraba contener la respiración. Sentí que mi cuerpo era lanzado hacia arriba y me encontré otra vez a bordo de la balsa, aspirando aire desesperadamente. Sabía que Timothy todavía seguía en el agua porque le oía bracear y maldecir.

De golpe, la balsa se inclinó hacia un lado. Timothy había regresado a bordo. Jadeando, se inclinó sobre mí y aulló:

—Maldita sea, tonto! ¡Te advertí acerca de los tiburones!

Me constaba que Timothy estaba furioso. Escuchaba su agitada respiración e intuía que me estaba mirando.

—Los tiburones nos rondan todo el tiempo —rugió.

—Lo siento —le dije.

Timothy me advirtió entonces:

—En esta balsa tú vas a cuatro patas, jefecito, ¿me oyes?

Asentí. Su voz estaba enfurecida pero luego, después de aspirar hondo varias bocanadas de aire, me preguntó:

—¿Estás bien, jefecito?

Supongo que se sentó a mi lado para descansar. Todavía respiraba jadeando. Finalmente sentenció:

—Un hombre muere rápidamente ahí afuera.

Ambos nos habíamos olvidado de la isla. Yo fui el primero en decir:

—Timothy, ¿viste de veras una isla?

—¡Sí, la isla! Allá está… —dijo riéndose.

—¿Dónde…? —pregunté.

—Allá, mira, hombre, mira… —me respondió en tono casi despectivo.

—No veo —le dije—, furioso.

Otra vez se olvidaba de ello.

—Sí, jefecito —dijo Timothy en voz baja—. Es verdad. Con todo este lío con el tiburón, me había olvidado.

Entonces puso sus manos en mis hombros y me hizo girar:

—En esta dirección, jefecito —dijo.

Esforzándome en ver hacia donde me indicaba, le pregunté:

— ¿Hay gente en ella?

—Es una isla muy pequeña, bárbaramente llana y plana.

Le repetí la pregunta:

—Pero, ¿hay gente en esta isla? —repetí.

Pensaba que los habitantes podrían contactar con mi padre y enviar por ayuda.

—No, jefecito —contestó Timothy francamente—. Nadie. Nadie viviría en una isla que no tiene agua.

Sin nadie. Sin agua. Sin comida. Sin teléfonos. No pintaba mucho mejor que la balsa. De hecho, podría ser peor.

—¿A qué distancia estamos?

—Dos millas, más o menos —dijo Timothy.

—Quizá deberíamos quedarnos en la balsa. Ya nos verá una goleta o un avión.

Timothy contestó, categóricamente:

—No, estaremos mejor en tierra firme. Derivamos hacia allí. La marea navega con nosotros.

Su voz era alegre; se notaba que quería encontrarse en tierra firme.

Yo estaba seguro que mi padre había enviado aviones y barcos en nuestra búsqueda y por ello le comenté:

—Timothy, la Armada nos está buscando. Lo sé.

Timothy no me respondió y, únicamente, añadió:

—Esto es algo muy bonito, de verdad. Veo una playa blanca y detrás de ella matorrales. Luego en la colina, unas palmeras. Veinte o treinta palmeras, tal vez.

Estaba seguro que no podía ver tan lejos.

—Timothy, ¿no sería mejor que nos quedáramos en la balsa hasta encontrar una isla grande y habitada? —le dije.

Me ignoró y replicó:

—Durante la noche vi crestas y espuma blanca hacia tierra pero no te desperté , jefecito. Pero supe que estábamos cerca de los cayos...

—No quiero ir a esa isla, —dije.

No creo que haya nadie en el mundo tan tozudo como el viejo Timothy. Su voz sonaba acerada cuando me contestó:

—Vamos a ir a esa isla, jefecito. Esto es verdad.

Pero entendía como me sentía en aquel momento, porque añadió:

—Desde esa isla conseguiremos ayuda. Es verdad, te lo juro...

7

PARECÍA COMO SI HUBIERAN TRANSCURRIDO HORAS, pero probablemente sólo había pasado una cuando Timothy dijo:

—Ahora, jefecito, no te alarmes. Voy a saltar al agua y empujar esta balsa a la orilla. Si no hacemos esto, pasaremos la isla de largo.

Al cabo de un momento, oí una zambullida a un lado de la balsa y Timothy empezó a patear el agua. Creo que no tenía miedo de los tiburones, tan cerca de la orilla. Muy pronto gritó:

—¡Tierra, jefecito, tierra!

Timothy había tocado la arena con los pies. En pocos minutos más, la balsa dio unos bandazos y supe que habíamos varado.

Presté oídos con la esperanza de escuchar un alegre «¡Hola!», pero no hubo nada de eso. Sólo el murmullo de la suave rompiente alrededor de la balsa.

—Venga, jefecito, sobre mis hombros, que voy a llevarte a tierra —dijo Timothy, ayudándome a encaramarme a su espalda.

—No olvides a Stew Cat —le dije.

Se rió con ganas al responder:

—Uno a la vez, jefecito.

Llevándome a la espalda, vadeó hasta tierra y a juzgar por el tiempo que esto le llevó, la balsa no estaba muy lejos. Me bajó al suelo de nuevo.

¡Tierra! —chilló.

La cálida arena me sentó bien a los pies y ahora ya casi estaba contento de no tener que pasar otra noche sobre la dura y húmeda cubierta de la balsa.

Timothy gritó:

—Tócala, jefecito. Toca la tierra. Está bárbaramente buena.

Me agaché. Los granos de arena eran muy finos, casi como polvo.

—Es un hermoso cayo, este cayo. Nunca había visto este cayo.

Me condujo hasta hacerme sentar bajo un grupo de matorrales y me ordenó:

—Tú descansas aquí tranquilo, mientras yo saco la balsa fuera del agua. No debemos perderla.

Me quedé sentado a la sombra, dejando correr la arena entre los dedos, preguntándome dónde, entre esas muchísimas islas del Caribe, estábamos.

Desde el agua, Timothy gritó:

—Hay muchos peces aquí. Langosta [1] también. Lo sabía. Las coceremos.

Langosta, yo lo sabía, era el bogavante nativo, el que no tiene pinzas. Oí a Timothy chapoteando en las olitas e intuí que empujaba la balsa hacia tierra tanto como le era posible.

(1) En español en el original

Un rato más tarde, jadeando fuertemente, se dejó caer a mi lado explicándome:

—En cuanto recupere la respiración, exploraré la isla y buscaré un lugar para nuestro campamento...

Puso a Stew Cat en mi regazo.

—¿Acampar? —pregunté, mientras acariciaba a Stew.

—Estaremos aquí quizás dos o tres días —replicó Timothy—. Así viveremos cómodamente .

Él sabía que yo estaba descorazonado porque habíamos llegado a la isla y no estaba habitada, pero me dijo confiado:

—Seguro que nos rescatarán. Antes de noche prepararé una buena pila de maleza y madera y al primer avión que nos sobrevuele, la encenderemos.

—¿Dónde estamos, Timothy? ¿Cerca de Panamá?

—No puedo estar muy seguro, jefecito. No muy seguro —contestó, arrastrando las palabras.

—Pero dijiste que conocías los bancos de arena y que los cayos están cerca de los bancos.

Me pregunté, si realmente él sabía o entendía de algo o si simplemente era un viejo negro tonto.

—Escucha. Sé que hay muchos bancos y cayos alrededor de los quince norte y ochenta longitud. Están Roncador y Serrano; Quito Sueño, Serranilla y Rosalind; luego hay Beacon y North Cay. Hacia el oeste, en alguna parte, hay Providencia y San Andrés...

Hizo una pausa y continuó:

—Más lejos, por allá, hay las Caimanes y después, Jamaica.

—Pero, ¿no estás seguro acerca de esta isla?

—Verdad, no estoy seguro —replicó Timothy gravemente.

—¿Pasan cerca de aquí las goletas, normalmente? —le pregunté.

Otra vez me contestó con gravedad:

—El hombre que pesca sigue a los peces. Ciertamente, aquí hay peces. Los he visto con mis propios ojos.

Continuaba pensando que Timothy me ocultaba algo. Lo presentía en el tono de su voz, puesto que había oído hablar así a mi padre alguna que otra vez. En una ocasión, recuerdo que fue cuando no quería decirme que mi abuelo se estaba muriendo; otra vez, en Virginia, cuando un coche atropelló a mi perro.

Claro que esto sucedió cuando yo era más pequeño. Actualmente mi padre era siempre muy sincero conmigo, creo, porque él decía que, al fin y al cabo, así era mejor. Ojalá Timothy me estuviese diciendo la verdad.

En lugar de eso, se levantó para caminar un poco por el cayo, diciéndome que volvería en unos minutos. También Stew se alejó a pasear. Le llamé, pero supongo que también el gato prefería explorar. Al quedarme sólo en la playa, empecé a tener miedo.

Entonces, me di cuenta de lo desvalido que me encontraba sin Timothy. Al principio seguí llamando a Stew pero, al ver que no regresaba, grité, llamando a Timothy. No hubo respuesta. Pensé que, a lo mejor, se habría caído y estaría herido. Empecé a arrastrarme a lo largo de la playa y me di de cabeza contra una rama que colgaba de alguna parte.

De nuevo me senté, intentando ahuyentar los mosquitos que zumbaban alrededor de mi cara. Algo me rozó el brazo y aullé de terror, pero oí un miau y comprendí que solamente era Stew Cat. Lo localicé al tacto y lo mantuve apretado contra mí, hasta que oí un rumor en los matorrales; entonces grité:

—¿Timothy?

—Sí, jefecito —replicó desde alguna distancia.

Cuando estuvo más cerca, le dije con cierta aspereza:

—No vuelvas a dejarme sólo otra vez. ¡Nunca vuelvas a dejarme!

—Aquí no tienes nada que temer —contestó riéndose—. He rodeado toda la isla y no hay nada excepto matorrales, arena, unas pocas lagartijas y esas palmeras...

—Nunca me dejes sólo, Timothy —le repetí.

—De acuerdo, jefecito, te lo prometo —contestó.

Supongo que debía haber estado investigando por los alrededores, ya que me explicó:

—No hay agua aquí, pero eso no es problema. Todavía tenemos agua en el depósito y podremos obtener más a la primera lluvia.

—Has estado alejado bastante tiempo —le comenté, pensando que todavía no me estaba diciendo toda la verdad.

—Treinta minutos como máximo —me contestó con alguna vacilación—. La isla mide aproximadamente una milla largo por media ancho y tiene forma de melón. He encontrado un lugar para establecer nuestro campamento, arriba cerca de las palmeras. Será también un buen punto de observación.

La altura es de unos cuarenta pies sobre el nivel del mar.

Asentí y dije:

—Tengo hambre, Timothy.

Ambos teníamos apetito. Fue hasta la balsa y sacó el depósito del agua y la lata de las galletas, y chocolate.

—Estás preocupado por algo Timothy — le dije mientras comíamos—. Por favor, dime la verdad. Ya tengo edad para saberla.

Timothy dejó pasar un largo intervalo antes de contestar, probablemente tratando de hallar las palabras adecuadas.

Finalmente dijo:

—Jefecito, en esta parte del mar hay unos cuantos cayos pequeños, como este, rodeados por bancos de coral. Están separados del resto del mar por estos bancos...

Intenté imaginarme el paisaje: varias islas pequeñas metidas entre grandes arrecifes de coral, que hacían peligrosa la navegación. Ésta fue la conclusión a la cual llegué.

—¿Crees que estamos en uno de esos cayos?

—Quizás, jefecito, quizás...

Volví a tener miedo; pensé que él había cometido un error trayéndonos a tierra y exclamé:

—En tal caso, nunca pasarán barcos cerca de nosotros. ¡Ni siquiera goletas! ¡Estamos atrapados aquí!

Pensé que nos tendríamos que quedar a vivir aquí para siempre.

Una vez más, no me contestó directamente. Empecé a darme cuenta de que tenía una forma especial de ser sincero al tiempo que no lo era. Me dijo:

—El lugar en que estoy pensando se llama La Boca del Diablo. Es un espacio en forma de U, rodeado de estos arrecifes de coral por todos lados y que quizás mide cuarenta o cincuenta millas...

Dejó que yo comprendiera esto. Sonaba muy mal, pero añadió:

—No obstante, espero estar bárbaramente equivocado.

—Si estamos en La Boca del Diablo, ¿cómo podremos ser rescatados? —le pregunté airadamente.

Era culpa suya si estábamos ahí.

—¡La pira! Cuando un avión nos sobrevuele, verán el humo y el fuego.

—Pero podrían pensar que es simplemente un pescador nativo. ¡Nadie más vendría aquí!

Me lo imaginaba asintiendo, pensando en eso. Entonces me respondió:

—Cierto, pero no sirve preocuparnos por ello, ¿ verdad? Acamparemos aquí, y ya veremos qué sucede.

Me sirvió media taza de agua, diciéndome alegremente:

—Ya que hemos llegado a tierra, podemos celebrarlo.

Bebí lenta y pensativamente.

8

DURANTE LA TARDE Timothy estuvo ocupado y no hablamos mucho. Estaba construyendo un cobertizo de ramas secas. Me senté cerca de él a la sombra de una palmera. Ahora que estábamos en tierra, empecé a pensar nuevamente en lo que le había sucedido a mi madre. De algún modo, presentía que estaba a salvo. Tampoco me cabía duda que se había emprendido nuestra búsqueda sin acabar de comprender del todo que había una guerra en marcha y que todos los barcos y aviones se necesitaban para combatir a los submarinos. También pensé en Henrik van Boven y en la historia que le contaría cuando volviera a verle.

Intenté no pensar en mis ojos, sentado allí bajo la palmera, escuchando el canturreo de Timothy mientras construía el campamento. Me había dicho que recuperaría la vista en pocos días y confiaba en él. Tampoco dudaba que un avión pronto localizaría nuestro fuego, como me lo había dicho.

Al caer la tarde manifestó orgullosamente:

—¡Mira, nuestro cobertizo!

Tuve una vez más que recordarle, viejo tonto, que no veía y por tanto me tomó las manos e hizo que recorriera las ramas. Era un cobertizo —me explicó— de unos ocho pies de ancho y seis de profundidad, con soportes de madera que había encontrado en la playa. Había atado esas maderas con fuertes enredaderas que halló en la parte norte de la isla.

El tejado, en pendiente, se elevaba a una altura de seis pies —así me lo contó— y yo podía estar fácilmente erguido dentro, aunque Timothy no. Al menos no completamente.

—Mañana tendremos colchones donde dormir —dijo Timothy— ,los haremos nosotros mismos, pero esta noche tendremos que dormir sobre la arena. Es suave.

Yo presentía que él estaba muy orgulloso del cobertizo que, por cierto, le había ocupado sólo unas pocas horas el construirlo.

—Ahora —dijo—, tengo que bajar al arrecife a pescar langosta, la coceremos. Ya verás.

En el mismo momento que pronunció estas palabras, volví a experimentar gran miedo. No quería que me dejara sólo y temía que le sucediera algo.

—Llévame contigo Timothy, —le supliqué.

—Al arrecife no —me contestó con firmeza—. No he estado allí antes. Si es seguro, mañana te llevaré.

Dando por terminado el diálogo, se fue sin añadir una sola palabra.

Pensé que mi madre tenía razón. Ellos estaban en su sitio y nosotros en el nuestro. Yo no le gustaba, porque de lo contrario me hubiera llevado con él. Era diferente.

Me dio la impresión que ya llevaba ausente un largo tiempo. Una vez creí que oía un avión, pero probablemente fue mi imaginación. Empecé a gritar, llamándole y pidiéndole que volviera, pero supuse que no podía oírme por el ruido de la resaca en el arrecife.

Las ramas de palmera del tejado murmuraban debido a la ligera brisa y se oían otros rumores producidos por los matorrales. Me constaba que Stew Cat andaba cerca, pero no creía que él produjera esos sonidos.

Me pregunté si había serpientes y si Timothy lo había comprobado ; los escorpiones no eran raros en algunas islas caribeñas y, además, eran mortales. Me preguntaba si los había en nuestro cayo.

Durante estos primeros días en la isla, las veces que tuve que quedarme sólo fueron terribles. Seguramente que era por el hecho de no ver, que todos los ruidos se convertían en algo aterrador. Supongo que, si se nace ciego, las cosas no son tan terribles. Creces aprendiendo a conocer cada sonido y su significado.

De pronto, rompí a llorar. Yo sabía que esto no era cosa de hombres, que era algo ante lo que mi padre hubiera fruncido el ceño, pero no podía evitarlo. En aquel momento Stew Cat salió de algún lugar, se frotó a lo largo de mis brazos y en la mejilla, ronroneando fuertemente. Le abracé estrechamente.

Seguidamente llegó Timothy chillando a pleno pulmón:

—¡Jefecito, tres estupendas langostas!

Rehusé hablarle porque me había dejado sólo tan largo rato.

Se puso a mi lado y dijo:

—Anda, tócalas, todavía están vivas.

Se encontraba en la cumbre del éxito con sus langostas.

Me aparté. Más pronto o más tarde, Timothy tenía que comprender que no podía ignorarme y poco después tratarme como a un amigo.

—Jefecito, si quieres, yo soy un hombre bárbaro, pero aquí soy todo lo que tienes —me dijo dulcemente.

No respondí.

Asó las langostas en el fuego y luego nos metimos en el cobertizo para pasar nuestra primera noche en la silenciosa isla.

Timothy parecía muy cansado y se quejó bastante pero, antes de acostarnos, le pregunté:

—Dime la verdad, Timothy, ¿cuántos años tienes?

Emitiendo un profundo suspiro me contestó:

—Más de setenta, aún más de setenta...

Era muy viejo. Lo suficiente incluso para morir allí.

A la mañana siguiente en la playa, Timothy empezó a alzar la pila de madera para la fogata. Tenía un plan: mantendríamos siempre un pequeño fuego ardiendo cerca del cobertizo y, si un aeroplano pasara cerca, él agarraría un tizón ardiendo y rápidamente encendería la gran hoguera. De esa manera — dijo—, podríamos ahorrar las pocas cerillas que poseíamos.

No le llevó mucho tiempo reunir trozos de madera y colocarlos sobre ramas secas de palmera.

Tras ello me dijo:

—Ahora, jefecito, debemos decir algo en la arena.

A veces era difícil comprender a Timothy. El dulce y bonito acento de las Indias Occidentales, así como su forma de pronunciar, no siempre resultaban claros.

—¿Decir algo en la arena? —le pregunté.

—Para que sepan que estamos aquí abajo —me explicó pacientemente.

—¿Quién?

—El hombre del cielo, por supuesto.

—¡Oh!

Ahora comprendía. Supongo que Timothy estaba frente a mí, esperando que yo comentase o hiciese algo.

—Bien, jefecito —le oí decir.

—¿Qué hacemos ahora? —pregunté.

En un tono de voz ahora impaciente, me respondió:

—Diremos algo con las piedras, con muchas piedras, cada piedra debe decir algo...

—No creo que pueda ayudarte, Timothy. No puedo ver las piedras —le contesté frunciendo el ceño.

—Yo puedo ver las piedras, jefecito —gimió Timothy—. Pero, ¿qué decimos?

Me reí con ganas, resultaba divertido.

—Diremos «socorro».

Gruñó con satisfacción.

Durante los veinte o treinta minutos siguientes, oí a Timothy apilando piedras y canturreando para sí mismo en calipso. Era una canción acerca de «hongos y pescado». Yo ya había probado los «fungi» en Willemstad, en el mercado de la gente de color de Ruyterkade. Era simplemente una comida de maíz. Pero hay que tener en cuenta que la mayoría de los alimentos tienen diferentes nombres en las islas.

En breve, volvió a mi lado.

—Ahora jovencito —me reclamó.

Parecía estar esperando.

—¿Si?

Se hizo el silencio hasta que Timothy lo rompió diciendo angustiosamente:

—Con las piedras, decir socorro.

Alcé la cabeza en su dirección y súbitamente comprendí

que Timothy no sabía escribir. Sencillamente era demasiado tozudo, o demasiado orgulloso para admitirlo.

Asentí y empecé a palpar la arena en busca de un palito.

—¿Qué estás buscando? —me preguntó.

—Un palo con el que trazar líneas.

Colocó uno en mis manos y yo, con gran cuidado, deletreé S-O-C-O-R-R-O en la arena, mientras él permanecía a mi lado observando. Iba murmurando, «ajá, ajá, ajá», como si deseara asegurarse de que yo lo escribiría correctamente.

Cuando terminé, Timothy me dijo con aprobación:

— Ya te digo yo, jefecito, que esto dice socorro.

Entonces, alegremente, dispuso las piedras en la arena, siguiendo mis trazos.

Me sentí bien. Comprendí que yo sabía hacer algo que Timothy no podía hacer. Él no sabía leer. Aquel día, me sentí superior a él, pero le dejé seguir con su inocente juego, haciendo ver que ignoraba que no sabía leer ni escribir.

9

Por LA TARDE, Timothy dijo que fabricaríamos una cuerda.

En la parte norte de la isla había una especie de enredaderas muy recias, casi tan gruesas como un lápiz y se encontraban enlazadas en la arena. Nos llevó varias horas el poder reunir una buena pila de ellas. Timothy empezó a tejer una cuerda, que pudiera llegar colina abajo hacia la playa y hasta la fogata preparada.

La cuerda era para mí. Si ocurría que él estuviese en el arrecife y se oía un aeroplano, yo podría agarrar un tizón de nuestro campamento, seguir la cuerda y aplicarlo a la gran pira. La cuerda también serviría para guiarme hasta la playa.

Cuando hubimos arrancado y reunido las enredaderas y él, ya estaba construyendo la cuerda, me dijo:

—Jefecito, tienes que empezar a ayudar en nuestro trabajo.

Nos hallábamos sentados frente al cobertizo. Apoyado con la espalda en una palmera, yo rememoraba Willemstad. En este momento, probablemente hubiera estado sentado en clase, a tres pupitres de distancia de Henrik, escuchando a Herr Jonckheer hablar de la historia de Europa. El primer año en Willemstad me habían instruido en holandés para que así pudiera ir a la escuela normal. Ahora ya podía hablarlo y comprenderlo.

Tenía las manos fatigadas de tanto arrancar enredaderas y todo lo que deseaba, era estar sentado y meditar. No tenía ganas de trabajar y le dije:

—Timothy, estoy ciego. Me es imposible ver el trabajo a hacer.

Le oí cortar algo con su afilado cuchillo y, a continuación, me replicó dulcemente:

— Las manos no están ciegas.

¿Pero es que acaso el viejo no comprendía? Para trabajar, aparte de arrancar lianas y dibujar en la arena, uno necesita ver.

Tozudamente continuó:

—Jefecito, necesitamos colchonetas. Tú puedes hacer las colchonetas.

—Hazlo tú, —le respondí.

Suspiró al tiempo que decía:

—El mejor colchonero de Charlotte Amalie, en Frenchtown, es totalmente ciego.

—Pero él es un hombre y tiene que hacer eso para ganarse la vida.

—Cierto, dijo quedamente.

Pero, a los pocos minutos, me puso en el regazo varios largos de fibra de palmera. Realmente era un mulo negro.

—El colchón de palma es muy fácil de hacer. Sólo por encima y por abajo…

—¡Te digo que no veo! —exclamé, ya enfadado con él.

No me hizo ningún caso.

—Toma esto y agarra la palma así; después por encima y abajo, como el tipo de Frenchtown, y entonces, más palma.

Podía notar su presencia muy cerca, observándome, mientras yo intentaba manejar el material, pese a que me daba cuenta de que no lo hacía bien.

—Así, como te indico —me dijo guiándome la mano—, por encima y por abajo...

Lo intenté otra vez pero no resultó. Me levanté, tiré las palmas hacia él y chillé:

—¡Tú, negro feo! ¡ ¡No quiero hacerlo! ¡Eres un estúpido, ni siquiera sabes leer...!

La dura mano de Timothy me golpeó fuerte en la cara.

Aturdido, me toqué la cara en el lugar en que me había golpeado y me volví hacia donde creí que no estaba. La mejilla me picaba pero no quería que me viera con lágrimas en los ojos.

—Yo, voy a volver al trabajo —le oí decir muy suavemente.

Me senté de nuevo.

Recomenzó a cantar aquella tonada de «hongos y peces» en voz muy baja y yo me lo imaginaba sentado en la arena frente al cobertizo, con su enmarañado cabello gris blanquecino, su fea cara negra de labios gruesos y sus callosas manos trabajando las enredaderas.

La cuerda..., pensé. No era para él. Era para mí.

Al cabo de un rato le llamé.

—Timothy...

No respondió, pero se me acercó y puso más hojas de palma en mis manos, murmurando:

—Es muy fácil, por encima y por abajo...

Y luego siguió cantando lo de los hongos y los peces.

Algo me ocurrió aquel día, en el cayo. Incluso ahora, no estoy muy seguro de lo que fue, pero yo había empezado a cambiar.

—Quiero ser tu amigo —le dije a Timothy.

—Jefecito, tú siempre has sido mi amigo —me respondió dulcemente.

—¿No podrías llamarme Phillip en lugar de jefecito? —le pedí entonces.

—Phillip, respondió calurosamente.

10

DURANTE NUESTRA SÉPTIMA NOCHE en la isla, llovió. Fue una de esas tormentas tropicales que aparecen de sopetón sin previo aviso. Estábamos durmiendo en las colchonetas de palma que había hecho, pero la tormenta nos despertó inmediatamente. Las gotas de lluvia sonaban como balas que chocaran contra las secas hojas de palmera del tejado. Salimos corriendo, gritando y dejando que el agua refrescante mojara nuestros cuerpos. Estaba fría y nos sentaba muy bien.

Timothy chilló alborozadamente al ver que su sistema funcionaba. Había tomado más material de los bordes de la balsa construyendo una especie de cubeta para recoger el agua. Después fue a buscar cañas de bambú en la playa y las unió, para formar una tubería que llevase el agua de la lluvia hasta nuestro depósito de cuarenta y cinco litros.

Llovió casi dos horas y Timothy estaba muy enfadado consigo mismo por no haber hecho otra instalación de recogida, puesto que el bote pronto estuvo lleno y rebosaba.

Permanecimos bajo la fresca lluvia unos veinte o treinta minutos y finalmente volvimos adentro. El tejado chorreaba bastante, pero no nos importaba. Nos echamos en las colchonetas y abrimos la boca para beber la fresca y dulce agua. Stew Cat se había hecho una bola miserable y estaba en un rincón y, según Timothy, no disfrutaba del ambiente en absoluto.

Me gustaba la lluvia, porque era algo que yo podía oír y sentir; no era algo que tenía que ver. Salpicaba en ráfagas contra el tejado y yo escuchaba embelesado el sonido que hacía al caer. El viento soplaba entre las frondas de las palmeras y me imaginaba lo que parecerían en el cielo nocturno, golpeándose entre ellas, allá arriba, por encima de nuestro pequeño cayo.

Me hubiera gustado que lloviese toda la noche.

Hablamos mucho rato cuando la lluvia empezó a amainar. Timothy me preguntó acerca de mi madre y de mi padre. Le conté todo acerca de ellos y de cómo vivíamos en Scharloo, sintiéndome sólo y nostálgico mientras desgranaba mi historia. Él iba diciendo:

—¡Ah!, ¿eso será verdad?

Luego, Timothy me narró lo que podía recordar de su propia infancia. No se parecía en nada a la mía. Nunca había ido a la escuela y, a los diez años, ya trabajaba en un barco de pesca. Casi parecía ser, que la única diversión que había podido disfrutar era cuando, una vez al año durante el carnaval, se colocaba hojas de frangipani en los tobillos y se echaba una piel de asno encima, para desfilar por ahí con los mocki jumbis, los cazadores de espíritus, mientras que las viejas damas de Charlotte Amalie bailaban la bambola alrededor de ellos.

—Bebía mucho ron aquellos tres días de carnaval —dijo, riéndose entre dientes.

Podía figurármelo dentro de su piel de asno, bailando y saltando con la música de las ˜Steel bands". También las había en Willemstad.

Dado que lo llevaba clavado en la mente, le comenté que a mi madre no le agradaban la gente de color y le pregunté si sabía por qué.

—A mí no me gustan algunos blancos, pero sería bárbaro si no me gustara ninguno de ellos —me respondió lentamente.

Deseando oírlo de Timothy, le inquirí por qué había diferentes colores de piel, blanca y negra, marrón y roja.

—¿Por qué hay peces de distintos colores, o flores diferentes colores? —contestó riéndose mucho—. De verdad no lo sé Phillip, pero de verdad creo que debajo de la piel todo es igual.

Herr Jonckheer había dicho algo parecido en la escuela, pero no tuvo tanto significado como cuando me lo dijo Timothy.

Mucho rato después de que él empezara a roncar en el mojado cobertizo, pensé en todo esto. De pronto, deseé que mi padre y mi madre pudieran vernos aquí, juntos en esta pequeña isla.

Me arrimé más al gran cuerpo de Timothy antes de dormirme. Recuerdo que sonreía en la oscuridad. No lo sentía ni blanco ni negro.

Por la mañana, el aire era tónico y el cayo olía a fresco y limpio. Timothy cocinó un pez pequeño, un pompano que había lanceado a la aurora en el arrecife. Ninguno de nosotros se había sentido tan bien o tan limpio desde que habíamos subido a bordo del Hato. Y sin siquiera comentarlo, ambos pensábamos que hoy podría ser el día en que un avión sobrevolara La Boca del Diablo, si es que era ahí donde estábamos.

El pompano cocido a fuego lento, tenía buen sabor. Por supuesto, prácticamente todo lo que comíamos venía del mar. Peces, langosta, mejillones o huevos de erizo, que son esos animalitos de mar, negros y redondos, de afiladas púas que se adhieren al arrecife.

Timothy había intentado hacer un guisado de algas, pero tenía un sabor amargo. También intentó hervir algunas raíces de mar, pero nos pusieron enfermos. Lo único que funcionaba, eran una hojas que hervía primero en agua de mar y después cocía en agua dulce.

Pero por encima de nosotros —a unos cuarenta pies de altura, dijo Timothy— había un festín. Grandes y ricos cocos. Cuando llegamos a tierra, algunos yacían en el suelo ya secos y, por tanto, la pulpa no tenía buen sabor. Sólo en uno, no tan pasado aún, quedaba algo de leche pero ya estaba rancia.

Casi cada día, especialmente cuando nos encontrábamos en las cercanías del cobertizo, Timothy solía decir:

—Es una barbaridad tantos cocos colgando del cielo, cuando nosotros podríamos aprovechar la leche y la pulpa.

O bien argumentaba:

—Yo mismo, Timothy, hace mucho tiempo podía trepar por la palmera muy fácilmente.

O aludiéndome vagamente, y creo que mirando las copas de las palmeras, murmuraba:

—Phillip, de verdad te estás poniendo bárbaramente fuerte aquí en la isla.

Hizo hincapié manifestando que si tuviera solamente cincuenta años otra vez, treparía hasta arriba de todo y con el cuchillo los cortaría. Pero a los setenta y muchos no creía que pudiese llegar a la copa.

Aquella mañana durante el desayuno—me imagino que mirando a la copa de las palmeras—, Timothy dijo:

—¿Un poquito de leche de coco nos iría muy bien ahora, ¡eh! Phillip?

Pero, como yo no tenía todavía valor para trepar por el tronco, me limitaba a responder:

—Sí, nos iría bien.

Timothy se aclaró la garganta, suspiró profundamente y alejó los cocos de su mente, pero yo sabía que me pondría a prueba de nuevo.

—Dejando aparte los diabólicos cocos, tu madre no te reconocería ahora —prosiguió.

—¿Por qué? —le pregunté.

—Estás muy moreno y enjuto —respondió.

Intenté imaginarme cómo se me veía ahora. Sabía que mi camisa y los pantalones estaban en harapos. Tenía el cabello como cuerdas; no había manera de peinarlo. Me preguntaba cual era el aspecto que tenían mis ojos y lo pregunté a Timothy.

—Van mirando sin cesar, —dijo— miran fijamente, Phillip.

—¿Te molestan?

Timothy se rió diciendo:

—A mí no. Cada día pienso en la buena suerte que tengo por estar tú aquí conmigo en esta bárbara y alejada isla.

Estuve meditando un buen rato antes de preguntarle:

— ¿Cuánto tiempo transcurrió antes de que aquel amigo tuyo, el de las Barbados, pudiera ver de nuevo?

Timothy replicó vagamente:

—¡Oh!, varios meses, creo recordar.

—¿Pero me dijiste en la balsa, que sólo fue cuestión de tres días?

—¿Eso dije?

—¡Si!

—Bueno —respondió Timothy—, fue hace mucho tiempo. Pero, seguro que recuperó la vista, es verdad.

Hizo una pausa y continuó:

—Bien, déjame decirte que hoy tenemos mucho trabajo.

Cada vez me daba más cuenta que Timothy siempre cambiaba el tema cuando empezábamos a hablar de mis ojos. Ponía todo tipo de excusas.

—¿Qué trabajo? —pregunté.

—Venga, déjame pensar —dijo—. Por una parte, tenemos que montar otro sistema para recoger el agua..., también debemos ir al arrecife a por comida..., y...

Me quedé esperando.

Finalmente Timothy explotó:

—Ahora, hay un montón de trabajo Phillip, por decir la verdad.

11

TIMOTHY HABÍA CONFECCIONADO UN BASTÓN para mí y ya lo estaba empleando para tantear el terreno por la isla. Me caía a menudo, pero no me hacía daño. Únicamente unos pocos arañazos, cuando caía en los matorrales.

Poco a poco, iba conociendo la isla. Yo sólo, procurando sentir siempre la húmeda arena bajo los pies, lo que significaba que me mantenía cerca del agua, di la vuelta a toda la isla. Timothy estuvo muy orgulloso de mí.

A fuerza de pisarlo, tantearlo y escucharlo, creo que ya sabía cómo era nuestro cayo. Tal como había dicho Timothy, tenía forma de melón o de tortuga y se elevaba desde el mar hasta nuestra pequeña altura, donde las palmeras se agitaban suavemente día y noche con los ligeros vientos alisios.

Ahora ya sabía que la playa tenía unos cuarenta metros de ancho en la mayoría de lugares y que se extendía por todo el perímetro de la isla. En un lado, hacia el este, había un bajo arrecife de coral casi a flor de agua en muchas partes que ocupaba varios cientos de metros.

Aprendí que era el este porque una mañana me encontraba allí con Timothy cuando el sol se levantaba y pude sentir su calor en el rostro, viniendo de esa dirección.

En el sur, la playa descendía gradualmente hacia el agua pero en la parte norte era diferente. Había arrecifes de coral sumergidos y grandes declives. El agua se volvía profunda de golpe. Timothy me previno contra el peligro de meterme en el agua allí, porque los tiburones podían llegar cerca de la playa.

También me contó que el agua que rodeaba el cayo era muy clara y que podían verse numerosos y lindos peces. Existían varios tipos de coral que diversos peces picoteaban.

Deduciendo por lo que podía notar y oír, nuestro cayo parecía ser una isla encantadora y yo anhelaba poder verla. Me propuse rodearlo por lo menos una vez al día, siguiendo la cuerda desde nuestra altura a la playa y después, continuar por la arena.

Empezaba a depender menos de la cuerda y a veces me parecía que Timothy estaba intentando hacerme menos dependiente de él. Yo creía saber por qué, pero no le hablé de ello. No quería pensar en la posibilidad de que Timothy pudiera morir, dejándome sólo en el cayo.

Debido a que la lluvia de la noche anterior nos había devuelto la esperanza, creo que ambos hicimos nuestras tareas manteniendo un oído hacia el cielo, a la espera de escuchar el zumbido de motores; pero durante todo el día sólo oímos los sonidos familiares, la rompiente, el viento y los chillidos de las aves marinas.

Aquella noche después de cenar, Timothy refunfuñó:

—¡Ningún avión! Esta isla debe tener algún jumbi [1].

(1) jumbi: encantamiento

—No digas tonterías, Timothy —le advertí.

—Un espíritu malvado nos hostiga y acosa —me explicó misteriosamente. Y no tenemos un pollo o granos de maíz para espantarle.

—Timothy, no puedes creer eso de veras —le argumenté.

Mi padre me había contado algo sobre el «obediah» o el «vudú» en las Indias Occidentales. Por supuesto que había venido de Africa. Haití era donde más se practicaba, pero se extendía también por casi todas las islas. Era una mezcla de religión y médicos brujos.

Supe que estaba mirando al gato Stew Cat, cuando dijo:

—Tal vez este bárbaro gato es el jumbi.

—Sólo es un viejo gato, Timothy —protesté.

Recordando todo lo que había pasado, Timothy recapituló:

—Subió a bordo de la balsa y nos vimos separados de todos los demás; después los ojos del jefecito se pusieron oscuros, causándonos problemas adicionales, después flotamos hasta este rincón de La Boca del Diablo…

—Timothy, Stew Cat no es un jumbi —le interrumpí con enfado—, déjale en paz.

El viejo hombre se calló y de repente me sentí preocupado por la seguridad de Stew Cat. Timothy se quedó a mi lado toda la noche pero, por la mañana cuando me desperté, se había marchado y tampoco estaba Stew Cat.

Me arrastré fuera del cobertizo y comencé a llamar a Stew, así como a Timothy. No hubo ninguna respuesta. Bajé la colina y me dirigí a la playa, hacia el arrecife. El vudú era algo idiota y yo lo sabía, pero atemorizaba. No podía comprender por qué Timothy pensaba que Stew Cat era el jumbi.

Decidí rodear la isla hasta encontrarles y, utilizando el bastón para ir tanteando el camino y para no tropezar con maderas o pequeñas formaciones de coral que la marea de la noche podía haber dejado al descubierto, seguí adelante a lo largo de la arena húmeda, llamándoles de cuando en cuando.

Al llegar a la parte norte Timothy contestó:

—Buenos días, Phillip.

Le pregunté dónde había estado.

—Aquí hay un pequeño sitio al que hay que ir, he estado por ahí, en esta playa —contestó riéndose.

—¿Dónde está Stew Cat?

Timothy permaneció en silencio.

Le pregunté otra vez.

—Cazando una lagartija por sí sólo, quizás, quizás, —me contestó.

Pero había algo de disimulo en su voz.

Mientras tanto, yo oía un continuo ruido raspante y ocasionalmente, un tañido de metal.

—¿Qué estás haciendo? —le pregunté.

—Cortando un viejo trozo de madera —me replicó.

—¿Por qué estaría en la playa del lado norte tan temprano y cortando madera? Me constaba que teníamos de sobra, tanto para la hoguera de señales como para el campamento.

—¿Y no has visto a Stew Cat?

—Ni rastro —contestó.

Quería ver lo que se traía entre manos, pero no tuve valor de acercarme y tocarlo. Sólo le sugerí:

—Timothy, tengo mucha hambre.

Sentí que su mano me aferraba la muñeca, al tiempo que decía:

—Volvamos al cobertizo.

Preparó el desayuno, comimos y sin pronunciar una sola palabra, se marchó.

Normalmente, guardaba su cuchillo de caza en la caja de hojalata en que teníamos las galletas. También, en esa caja, estaban las cerillas secas que nos quedaban, unas pocas tabletas de chocolate rancio y algunas cosillas, que Timothy había conseguido en la playa o de la balsa.

Noté que había algunos clavos, las bisagras de la trampilla de la balsa, unos pocos trozos de cuerda, un pedazo de corcho, varias latitas pequeñas y un rollito de algo que me parecía piel. Nada faltaba excepto el cuchillo, y me constaba que se lo había llevado a la playa del lado norte.

Lo mejor que pude, busqué por las inmediaciones de la zona del cobertizo tratando de encontrar a Stew Cat, pensando que tal vez Timothy lo hubiese atado en algún sitio cercano. Pero por otra parte, tenía la certeza que maullaría si no estuviera demasiado lejos para oírme.

Yo estaba seguro que Timothy había regresado a la playa norte y que seguía cortando aquel trozo de madera, pero algo en mi interior me decía que yo no debía ir allá. Por tanto, me senté al lado del cobertizo preguntándome qué hacer. Era inútil tratar de convencer a Timothy de que el jumbi no existía y tampoco tenía medios de encontrar a Stew Cat, si Timothy lo había escondido.

Las horas matinales pasaron lentamente. Una vez, bajé hasta la playa del este para sentarme cerca de la hoguera de señales, esperando oír el zumbido de un avión. Varias veces, por encima del murmullo del viento, creí que percibía un débil maullido, pero me fue imposible localizar la procedencia.

Es posible que todo lo que había sucedido empezara a influir en la mente del viejo. A lo mejor, yo estaba perdido en una minúscula y olvidada isla del Caribe, acompañado por un perturbado. Si era capaz de hacer daño a Stew Cat a causa de una idiotez de encantamiento jumbi, pensé que también a mí podía hacerme daño.

Sopesé la posibilidad de tomar la balsa y hacerme a la mar otra vez. Estaba seguro que todavía quedaría suficiente de ella como para poder sentarme, echarme y dormir. Si pudiera llevarme el depósito del agua y lo que quedaba del chocolate, me mantendría unos pocos días.

Me levanté y caminé en dirección al agua, buscando mi camino hacia el arrecife. No ignoraba que, si seguía aquella ruta, llegaría hasta el cabo que mantenía la balsa varada. Timothy había arrastrado un pesado madero como tope, para que la balsa no se fuera al mar, cuando llegaba la marea.

Caminé lenta y cuidadosamente, esperando de un momento a otro tocar la cuerda con mi bastón o tropezar con ella a la altura de los tobillos. Llegué hasta el inicio del arrecife sin encontrar nada y entonces me volví y caminé en dirección contraria. Finalmente, me di contra el madero que Timothy había arrastrado y colocado en la arena.

Lo tanteé todo, pero la cuerda ya no estaba atada a él. ¡Había dejado la balsa suelta! El pánico me invadió y entonces, buscando el equilibrio con mi bastón, decidí meterme en el agua con la esperanza de encontrar la balsa.

A pocos pies de la orilla, tuve un buen susto. Apoyé el pie sobre algo que empezó a moverse. De hecho todo el fondo que estaba pisando parecía estar en movimiento. Perdí el equilibrio y caí de cabeza en el mar. Me incorporé escupiendo agua, y entonces me di cuenta que había pisado uno de aquellos peces en forma de diamante, que tienen cola de aguijón, lo cual me había sucedido una o dos veces en Westpunt. Es un pariente del peligroso pez manta, pero éste se asustó tanto como yo y se alejó hacia aguas más profundas.

Con el agua hasta la cintura, tanteé con las manos en todas direcciones, pero ¡la balsa había desaparecido!

Confiaba en Timothy y me repetía a mí mismo que no me haría ningún daño, pero lo aterrador era ese misterioso jumbi. Y además, él no estaba ciertamente actuando como el Timothy con el que yo había estado viviendo.

A media tarde regresó al cobertizo. Ninguno de nosotros dos habló.

Mas tarde oí cómo aporreaba algo. Las ramas de palmera del techo sonaban; fuera lo que fuese, era algo que él hacía en el cobertizo. Una vez terminó, se marchó otra vez.

Cuando comprendí que se estaba alejando, me levanté y me dediqué a palpar el armazón del cobertizo, sin hallar nada de particular y, por tanto, entendí que lo que Timothy hubiera atado debía de ser en el tejado. Recordaba que había varios tocones cerca de la hoguera del campamento; me aproximé, hallé uno y lo hice rodar hasta la entrada del refugio. Me subí a uno de ellos y tanteé el armazón que sostenía el techo.

En el mismo centro encontré lo que andaba buscando: grité, cuando la palma de mi mano tropezó con un objeto agudo que recorrí lentamente con los dedos. Descubrí que la cosa tenía cabeza, cuatro patas y una cola.

Timothy había empleado todo el día tallando un gato, un Stew Cat. Los clavos que le había colocado, se suponía eran para matar al malvado jumbi.

Me sentí débil y me senté en el tronco.

Entonces, subió por el camino y depositó a Stew Cat en mi regazo.

—¿Dónde estaba? —pregunté.

—En la balsa, por supuesto —contestó Timothy—. Hice que estuviera alejado de la isla hasta que yo pudiese cazar al jumbi.

—¿Y dónde está la balsa, Timothy?

—Estaba alejada de la orilla, Phillip. Ahora está de nuevo en su sitio. Y nuestra suerte va a cambiar.

Pero no cambió. Empeoró.

12

UNA MAÑANA a mediados de mayo, me desperté oyendo a Timothy respirando fuerte y afanosamente, lo que sonaba como si estuviese luchando por conseguir aire. Escuché durante un momento y enseguida le pregunté:

—¿Estás bien, Timothy?

¡Fiebre! —exclamó, jadeando— ¡Malaria!

Tuve que pensar durante un minuto para comprender de qué estaba hablando. ¡Fiebre! ¡Malaria! Me moví para poderle tocar. Tenía la frente ardiendo.

Con la respiración agitada por fuertes jadeos me dijo:

—Tengo malaria otra vez, Phillip. Se marchará pero, tráeme agua.

Cuando yo tenía fiebre en Virginia y en Scharloo, mi madre me daba aspirinas, y recuerdo que me ponía paños fríos en la cabeza. Pero, por supuesto, no teníamos aspirinas en el cayo y el agua siempre estaba templada. Tomé un poco de agua del depósito y se la di. La tragó y volvió a dejarse caer en el colchón.

Estuve escuchando su penosa respiración durante un tiempo y luego rasgué un trozo de tela de lo que quedaba de mi camisa, lo humedecí con agua y lo coloqué en su frente. Él murmuró, «Esto me hará bien», aunque súbitamente empezó a temblar pese a que el aire matutino era ya cálido, y se oía el castañeteo de sus dientes.

No tenía nada con que taparle y por ello me quedé a su lado manteniéndole en la frente el paño, que ya se estaba empezando a secar. Su respiración era como el aire caliente, que sale de un horno.

Debían ser alrededor de las diez, cuando Timothy empezó a delirar y a reír. Sonaba como si estuviera hablando en sueños, pero la risa que emitía entre jadeos era fuerte y rara. No podía mantenerle el paño en la frente puesto que se movía bruscamente de un lado a otro.

Yo le hablaba constantemente, pero no parecía ni siquiera saber que estaba allí con él.

Una vez se incorporó, pero volvió a caer sobre la colchoneta y le dije que procurara estar lo más quieto posible. Así lo hizo durante mucho rato, porque le volvieron otra vez los temblores. Cuando éstos cesaron, nuevamente se apoderaron de él las sonoras risas y las palabras incoherentes.

Hacia mediodía, empeoraron las risas y palabras incoherentes y noté que intentaba levantarse. Me colgué de su brazo gritándole que se acostara, pero me apartó como si yo no estuviera allí. Pude oír cómo iba tambaleándose colina abajo hacia el mar y me llegaron los ecos de sus aterradoras carcajadas.

Seguí la pista de la risa. Entonces oí una zambullida y comprendí que se había metido en el agua. Chillé todo lo fuerte que pude:

¡Timothy, Timothy, vuelve!

De pronto, todo quedó sumergido en un silencio de muerte. Voceé su nombre una y otra vez, pero no hubo respuesta alguna.

Llegué a la playa, me metí en el agua hasta las rodillas y comencé a moverme lentamente, intentando mantenerme en línea con la orilla. Había caminado unos treinta pasos cuando caí sobre el cuerpo de Timothy, que estaba medio sumergido.

Agarrándolo con una mano y sin soltarle, me incorporé. La parte superior de su cuerpo flotaba y me imaginé que los pies le arrastraban por la arena. Puse mi rostro contra su boca; sí, todavía respiraba.

Conseguí, con muchos esfuerzos pasar mis manos bajo sus hombros, pero así me pesaba demasiado. Entonces se me ocurrió colocar ambas manos bajo su barbilla y, de esta manera, empecé a tirar de él. Profería extraños sonidos y no intentaba ayudarme.

Me llevó lo que me pareció un largo tiempo sacar a Timothy del agua hacia la húmeda arena. Seguramente pesaba unas doscientas veinte libras y sólo podía moverle dos o tres pulgadas a cada intento.

Me quedé sentado a su lado durante casi una hora bajo el cálido sol, mientras él descansaba tranquilamente y con la respiración ahora menos agitada. Pero, de nuevo, le volvieron los temblores. Sabía que me sería imposible arrastrarlo cuesta arriba hasta el abrigo del cobertizo y por ello corté ramas de los cercanos matorrales y las puse sobre su cuerpo. Las hojas de los matorrales protegen de los ardientes rayos del sol.

Traje agua del cobertizo, le levanté la cabeza y le ordené que bebiera. Con una mano me fue posible hallar sus labios y guié la taza hasta la boca. Pareció comprender y tragó todo el líquido.

Permanecí a su lado durante el resto de la larga tarde, mientras dormía. Cuando despertó, ya caía la noche y empezaba a refrescar. Ahora respiraba normalmente y comprendí que la fiebre había remitido puesto que ya no tenía la frente caliente.

Sentándose, preguntó débilmente:

—¿Cómo he llegado hasta allí?

Le conté que había bajado la cuesta corriendo.

—Es diabólica esa fiebre —suspiró.

—Te metiste en el agua. Me asustaste mucho, Timothy, — le expliqué.

—Eso es verdad —respondió—. La cabeza me ardía con fuego, y lo apagué.

Le ayudé a ponerse en pie y subimos la cuesta juntos. Timothy se apoyaba en mí por la primera vez. No recuperó nunca por entero su fuerza.

13

Fue hacia finales de mayo, creo, cuando Timothy pensó que tendríamos que permanecer aquí para siempre. No habíamos visto una sola vela de goleta ni oído un solo aeroplano desde que pusimos pie en la isla.

Sabía que estábamos a finales de mayo, porque cada día Timothy metía una piedrecilla en una vieja lata que encontró en la playa. Era nuestro único modo de saber cuántos días habían transcurrido desde que estábamos aquí. De vez en cuando las contaba, partiendo del día 9 de abril. Ahora teníamos cuarenta y ocho piedras en el bote.

Este mismo día, Timothy me dijo pensativamente:

—Phillip, ¿te ha pasado por la cabeza que yo podría volver a estar enfermo alguna mañana?

Sabía que estaba pensando en la malaria y en la fiebre. Le respondí afirmativamente.

—Bien —me dijo—, entonces debes saber como proveerte de pescado por ti mismo.

Durante más de una semana, había estado trabajando con clavos para convertirlos en anzuelos. Él siempre lanceaba los peces y las langostas con un palo aguzado, pero a mí me era imposible hacerlo puesto que no veía. Estaba claro que fabricaba los anzuelos para mí.

—He descubierto un agujero bárbaramente bueno en el arrecife en un lugar seguro —me dijo con un tono de secreto en la voz.

Bajamos la cuesta y caminamos a lo largo del arrecife. Mis pies ya estaban endurecidos y apenas notaba los salientes del coral, pero no olvidaba que, escondidos en las pequeñas pozas que dejaban las mareas, acechaban los traicioneros erizos. El pisarlos equivalía a clavarse una aguda espina en el pie. Timothy ya me había advertido:

—Son muy venenosos, te producen terribles dolores.

Cada dos pies, Timothy había colocado una pieza de madera encajada entre las hendiduras del coral, para que pudiera caminar sobre ellas al ir avanzando. No sabíamos lo que se podría hacer con respecto a los erizos, pero Timothy me aseguró que pensaría muy seriamente en ello. Había empleado una gran piedra para irlos aplastando a todo lo largo del camino del arrecife, pero era lógico que, en su momento, regresarían.

Caminamos unos cincuenta pies siguiendo el arrecife, y entonces me dijo:

—Ahora pescamos.

Me describió la poza. Medía unos veinte pies de diámetro y entre seis y ocho de profundidad. El fondo era arenoso pero casi libre de coral, por lo que mis anzuelos no se engancharían. Me explicó que era una abertura "lo más" natural para que los peces pudieran entrar y salir al mar desde esta charca vallada por el coral.

Me agarró la mano para que tanteara alrededor de los

bordes de la poza. El coral se había suavizado a través de siglos por el chapoteo del mar. Timothy me explicó que la arena del mar actuaba como una piedra abrasiva sobre los afilados bordes del coral. No quedaba totalmente suavizado, pero ya no sobresalían aristas dentadas.

—Ahora alarga la mano aquí abajo —indicó Timothy—, y arranca los moluscos.

Metí la mano en la cálida agua, arrodillándome en el borde, y noté un mejillón. Pero, al arrancarlo, perdí el equilibrio y solamente la mano de Timothy evitó que me cayese dentro de la poza. Si uno está ciego, la sensación de caída puede ser algo aterrador. El recuerdo de cuando me caí de la balsa todavía estaba muy presente en mi memoria.

Timothy me tranquilizó.

—Calma, Phillip, aquí. Siéntate un minuto y relájate.

Su voz era tranquilizante.

—Si alguna vez te cayeras —dijo—, quédate un rato en la poza, averigua de qué lado rompe el agua, entonces sígalo hasta el borde, busca un asidero e ízate hacia fuera.

Me guió las manos para abrir el molusco y extraerle su resbaladiza carne que emplearíamos como cebo.

—Esto, es un cuchillo bárbaramente afilado, por eso ten mucho cuidado con tus dedos.

Me dijo de palpar el anzuelo e insertar el molusco en él. Como había pescado muchas veces con mi padre, esto me resultó fácil.

Algunos tornillos oxidados sirvieron como plomos. Timothy había encontrado en la playa varios trozos de madera con tornillos y los había quemado, rescatando los tornillos de las cenizas. También sacó unas cuerdas de la balsa para hacer volantines para la caña de pescar.

Dejé caer el anzuelo con su plomo. Al cabo de poco tiempo, noté una picada. Di un fuerte tirón, consiguiendo hacer volar el pez por encima del hombro para que cayera en el arrecife. Timothy lo celebró gritando y me dijo que siguiera el sedal hasta llegar al vivito y coleando pez, y luego le quitara el anzuelo.

Resbalando y saltándome en la mano noté que era pequeño, pero grueso. Sonreí en dirección a Timothy. Antes, cuando había pescado, era diversión. Ahora, experimentaba la sensación de que había hecho algo muy especial. Estaba aprendiendo de nuevo a hacer cosas, únicamente al tacto y aguzando el ingenio.

Dije a Timothy:

—Es un bárbaro agujero de buenos peces.

Se rió con muchas ganas.

Desde entonces, cada día me ocupé de la pesca. Desde luego, Timothy continuó capturando langostas, porque tenía que bucear, pero yo aportaba todos los peces. Al tercer día, por la mañana, me permitió ir sólo al arrecife. Encontré el camino siguiendo los trozos de madera, llegué a la poza, obtuve un molusco y comencé a pescar.

Estaba sólo en el arrecife, pero siempre presentía que él estaba sentado en la playa cerca de mí; podía sentir su presencia. Pero siempre estaba en el cobertizo, cuando yo regresaba.

A menudo hablábamos de nuestro cayo. Timothy no había pensado mucho en ello ya que aceptaba que siempre había estado allí, pero yo le hablé de geografía y de cómo, tal vez, un volcán podía haber sido la causa de que se formara la Boca del Diablo. Me escuchaba fascinado y mudo de asombro.

Comentamos la manera en que los pequeños animalitos que forman el coral podían, quizás, haber sido la base de la formación del cayo, empleando para ello miles de años.

Entonces —dije— la arena empezaría a apilarse y después de otros miles de años, se transformó todo en una isla.

Fue como si un mundo nuevo se hubiera abierto para Timothy. Empleaba continuamente la misma frase:

¿Será verdad?

Me di cuenta de que jamás había pensado cómo los cocoteros, las hierbas y las lianas habían llegado a nuestro cayo. Le conté lo que sabía.

Las semillas, las había traído el mar o los pájaros las habían transportado. Después intervenía la lluvia y enraizaban.

—¿Y las lagartijas? —me preguntó tozudamente.

—Podría apostar que un pájaro, volando desde otra isla y llevando una lagartija hembra en el pico, la dejó caer aquí. Después nacieron las crías. También podría ser, que llegara flotando sobre un pedazo de madera traído por la corriente durante una tormenta.

Timothy estaba muy impresionado y me sentía satisfecho al poder explicarle alguna cosa.

Nos dimos cuenta de que teníamos mucho de qué hablar.

Creo que fue el quinto día de la semana en que estábamos cuando, de golpe, le solté a Timothy:

—Subiré a la palmera ahora.

—Vaya, Phillip —se limitó a decir — y yo casi podía ver la sonrisa que estaría iluminando su cara y el brillo de sus ojos, mirando hacia arriba.

—Hay un cocotero allá que tiene una curva a lo largo del tronco como un caballo viejo —me explicó—. A ese es al que hay que subir.

Yo temblaba un poco, mientras me acompañaba hacia al árbol, aconsejándome que tenía que trepar sólo un poco y hacerlo como un mono. Tan pronto lo lograse, debería bajar, ponerme el cuchillo entre los dientes y subir de nuevo.

El tronco de este cocotero debía tener unos dos pies de diámetro, ya que podía abarcarlo con los brazos. Lo agarré, doblé el cuerpo, apoyé los pies desnudos en las rugosidades y empecé a escalar.

Timothy estaba conteniendo la respiración.

Subí unos diez pies y me quedé como paralizado. Era incapaz de moverme hacia arriba o hacia abajo. Se me habían quedado rígidas tanto las piernas como los brazos.

Timothy, que estaba debajo listo para sostenerme si me caía, me dijo dulcemente:

—Phillip, no es ninguna vergüenza que vuelvas a bajar hasta la arena.

Lentamente empecé a retroceder tronco abajo. Notaba la áspera corteza en manos y pies, pero lo que peor me sabía era el desengaño de Timothy. Creo que ya me encontraba solamente a unos pocos pies del suelo cuando, de pronto, aspiré aire profundamente y me dije a mí mismo: "si te caes, será en la arena".

Y entonces empecé nuevamente a trepar.

—Has olvidado el cuchillo —me gritó Timothy.

Intuí que, si me paraba ahora, nunca más subiría. No le contesté, pero seguí moviendo firmemente manos y pies. Le oí gritar:

—¡Estás llegando a la cima!

Las ramas de palmera me rozaban la cabeza y agarré una para elevarme más. Timothy emitió un rugido de alegría.

Me indicó cómo llegar a los cocos, pero me llevó un buen

rato estirar, retroceder y, por fin, arrancar dos que finalmente cayeron. Seguí arriba unos minutos para reposar y relajarme y lentamente me deslicé por el tronco. Había vencido.

Apenas mis pies habían tocado el suelo, Timothy me abrazó fuertemente aullando:

—¡Las palmeras ya no podrán con nosotros nunca más!

Nos bebimos hasta la última gota de la leche del coco y la fresca pulpa fue un auténtico festín.

Echado a mi lado, triturando el coco con los dientes, Timothy me dijo:

—Ya ves Phillip, sin ver, has hecho lo que yo no he podido hacer con todo mi cuerpo.

Era como si me hubiese graduado en el curso de supervivencia, que Timothy me había estado impartiendo desde que tomamos tierra en el cayo.

Llovió aquella noche, con una lluvia muy fina. Ni tan siquiera traspasó el techo de nuestro refugio, Timothy respiraba suavemente a mi vera. Durante dos meses yo había estado a su lado en todos los momentos, tanto de día como de noche, pero todavía no le había visto. Recordaba su cara fea pero ahora, en mi recuerdo, ya no me parecía fea en absoluto. Sólo la veía como amable y enérgica.

—¿Eres negro todavía, Timothy? —le pregunté.

Su estentórea risa llenó el cobertizo.

14

UNA CALUROSA MAÑANA de julio, nos hallábamos en la playa del norte, en la que Timothy había descubierto grandes pechinas no lejos del rompiente. Era el día de más calor que habíamos pasado en el cayo, tan caliente que nos parecía estar respirando fuego y, además, los vientos alisios no soplaban. No se movía absolutamente nada en el cayo.

En cualquier caso, la playa del norte era un lugar muy extraño. La arena era más gruesa a mis pies y, en general, todo era diferente, lo cual no tenía sentido, ya que sólo distaba una milla de la playa del sur.

Timothy me explicó:

—El norte es siempre la parte más desolada en todas las islas.

Pero no pudo explicarme el por qué.

Acababa de traer unas cuantas pechinas, cuando oímos el disparo de un rifle. Vino corriendo a mi lado y dijo:

—Esto significa problemas.

—¿Problemas? Yo sólo pensé que esto quería decir que

alguien había encontrado el cayo, lo cual no era problema alguno.

—¿Quién está disparando? —le pregunté, muy excitado.

—El mar —dijo.

Me eché a reír en su cara.

—El mar no puede disparar un rifle —dije, burlándome de él.

—Un estampido como de un rifle —me replicó con pre-ocupación en la voz. Puede parecer muy bien un disparo, muy bien. Nos dice que una tempestad muy mala se está acercando, Phillip. Una tempestad.

Yo no acababa de creérmelo. No obstante, se había oído muy claramente un estampido parecido a un disparo de rifle o de pistola.

—Las olas hacen esto —me explicó con gran ansiedad en la voz—. En un lugar lejano, más allá de las Grenadines o cerca de Honduras, se está formando un huracán, jefecito. Lo intuyo. Lo que hemos oído es una ola que ha pasado por este pequeño rincón.

Oía que olfateaba el aire, como si pudiera oler al huracán aproximándose. Dado que no soplaba el viento, había un silencio total en todo el cayo. El mar, me contó Timothy, estaba liso como una mermelada verde, pero el agua empezaba a volverse oscura. No se veían aves en ninguna parte. El cielo, —me describió— tenía un toque amarillento por todas partes.

—Vámonos, tenemos mucho que hacer. Las pechinas pueden esperar hasta después de la tempestad.

Subimos a nuestra colina.

Entonces entendí por qué había elegido el punto más alto del cayo para nuestro cobertizo pero, aún así, pensé que las olas pudieran llegar hasta allí y arrasarlo todo.

Lo primero que hizo Timothy, fue atar fuertemente nuestro depósito de agua lo más alto posible en el tronco de una palmera. A continuación, también ató con cuidado la cuerda que nos quedaba alrededor del mismo árbol.

—En caso de que la tempestad llegue hasta allí arriba, arrima los brazos por la cuerda y sujétate a ella, Phillip.

Comprendí el motivo por el que había ahorrado tanto la cuerda que nos quedaba y por qué, en lugar de utilizar la que sacó de la balsa, había hecho de enredaderas la que me servía de guía para bajar a la playa . Cada día aprendía algo nuevo, que Timothy había hecho para que pudiéramos sobrevivir.

Por la tarde, me explicó que ésta era una tormenta especial, puesto que la mayoría de ellas no llegaban hasta septiembre u octubre. Algunas veces en agosto y raramente en julio.

—Pero, este año el mar está enfurecido con tanta muerte en ella. La guerra —dijo Timothy.

Me contó que las tormentas nacían en el Atlántico Norte hacia el este, al sur de las Islas de Cabo Verde y en otoño pero, a veces, cuando se ponían caprichosas, se formaban bastante antes y mucho más cerca, en un triángulo hacia la punta noreste de América del Sur. De tarde en tarde, en junio o julio, se podían formar no lejos de Providencia y San Andrés, o sea cerca de nosotros. Las de junio sólo eran molestas, pero las de julio eran peligrosas.

—Esta es una tormenta del oeste, me parece. Son bárbaramente fuertes en cuanto llegan —advirtió.

Incluso Stew Cat estaba nervioso; estaba entre mis piernas cada vez que me movía. Le pregunté a Timothy qué podríamos hacer para protegerle. Se rió mucho.

—Stew Cat se subirá a un cocotero por la parte más

protegida, si las cosas se ponen demasiado terribles. No te preocupes por Stew Cat.

Pero me era imposible dejar de preocuparme. La idea de perder a cualquiera de los dos era totalmente insoportable. Si algo malo tenía que suceder en el cayo, deseaba que nos afectara a todos nosotros.

Nada cambió durante la tarde, aunque el ambiente se tornó aún más caluroso. Timothy pasó mucho tiempo en la balsa, sacando y arrancando todo aquello que pudiera ser útil, y subiéndolo a nuestra colina. Me dijo que entraba en lo posible que no la volviésemos a ver, y que incluso la tempestad podría llegar hasta la colina y barrerla.

Timothy no tenía el propósito de atemorizarme al advertirme de la violencia de la tormenta; tan sólo era realista ya que, él mismo tenía buenas razones para tener miedo.

—En '28, me encontraba a bordo del Hettie Redd al sur de Antigua, cuando la tempestad golpeó. El viento era bárbaro y la vieja goleta quedó reducida a astillas. Yo llegué a tierra con este mar tan salvaje. Nadie podía creerlo. Yo fui el único superviviente de la Hettie Redd.

Comprendí que aquel salvaje mar de antaño estuviese presente en la mente de Timothy durante toda la tarde.

Tomamos una gran comida a última hora del día, más abundante de lo usual, ya que Timothy dijo que igual no nos sería posible comer durante varios días. Comimos pescado y pulpa de coco, y bebimos varias tazas de leche de coco. También me advirtió que era probable que los peces no volvieran al arrecife por lo menos en una semana. Había notado que ya se habían marchado hacia aguas más profundas.

Después de comer, Timothy limpió cuidadosamente su cuchillo y lo puso en la lata de metal, que ató lo más alto posible al mismo tronco al cual había amarrado nuestro depósito de agua.

—Estamos preparados, Phillip —dijo.

15

A LA PUESTA DEL SOL, con el aire pesado y muy caliente, Timothy me describió el cielo. Me explicó que estaba intensamente rojizo y que se veían algunos flecos de nubes muy altas. Había tal calma en el cayo, que no se oía sino el susurro de alguna lagartija al deslizarse.

Poco antes de que cayera la oscuridad, Timothy me advirtió:

—Esto ya no tardará mucho, Phillip.

Notamos una ligera brisa que empezó a rizar algo el tranquilo mar. Timothy me explicó que veía un arco de nubes bajas muy negras hacia el oeste, que empezaban a juntarse con las altas.

Mantuve a Stew Cat bien cerca de mí mientras seguimos esperando, sintiendo la cálida brisa en la cara. De vez en cuando, llegaban ráfagas de viento que movían las ramas de las palmeras y sacudían el pequeño cobertizo.

Ya en plena oscuridad cayeron las primeras gotas de agua golpeando el techo y, con ellas, el viento se volvió frío de golpe. Las ráfagas de lluvia empezaron a azotar la cabaña como si le estuvieran tirando puñados de grava.

El viento se instaló soplando fuertemente, y Timothy salió del cobertizo para observar el cielo.

—Ahora todo esto está a punto de estallar, Phillip. Es un huracán, seguro —gritó.

Oímos que el oleaje empezaba a rugir a medida que el viento levantaba las olas y Timothy se metió dentro del cobertizo, junto a la entrada, con el cuerpo estirado y preparado para agarrar el armazón a fin de mantener el refugio en pie tanto rato como fuera posible.

Noté movimiento alrededor de pies y piernas como de algo que se deslizara. Llamé a Timothy, que me aclaró gritando:

—¡No es nada más que una pequeña lagartija que busca un terreno más alto!

La lluvia azotaba muy fuerte el cobertizo y el viento emitía un aullido constante. El ruido del oleaje sonaba más cerca y me pregunté si ya estaba empezando a encaramarse hacia nuestra colinita. La lluvia era helada y yo estaba mojado de pies a cabeza. Temblaba espasmodicamente, pero más de pensar que el mar nos arrollaría que del súbito frío.

De pronto se oyó un sonido escalofriante e inmediatamente Timothy se tiró a mi lado, cubriéndome con su cuerpo. Nuestro cobertizo había volado. Chillando a pleno pulmón me ordenó:

—Phillip, ¡esconde la cabeza, ¡al suelo!

Me eché boca abajo hasta notar la mejilla contra la húmeda arena. Stew Cat se encogió entre nosotros dos.

El único sonido ahora era el tremendo rugir de la tempestad. Incluso el del viento había sido superado por el salvajismo del ruido del mar. La lluvia me golpeaba en la espalda como miles de piedrecillas disparadas por una pistola de aire comprimido.

Algo sólido nos golpeó fuertemente y siguió rodando.

—Matorrales arrancados —gritó Timothy.

Permanecimos aplastados contra el suelo durante al menos dos horas, aguantando el severo castigo de la tormenta, sin apenas poder respirar a causa de la potentísima lluvia. Fue entonces cuando Timothy gritó roncamente:

—¡A la palmera!

El mar estaba empezando a llegar al alto de nuestra colina, subiendo los cuarenta pies de altura con increíble furia. Timothy me arrastró hacia la palmera, mientras yo apretaba a Stew Cat contra el pecho.

Dando la espalda a la tormenta, Timothy pasó mis brazos por las vueltas de la cuerda que había preparado y después se ató él también al árbol, detrás de mí.

Muy pronto, noté que el agua me llegaba a los tobillos y rápidamente el agua me alcanzó las rodillas. Se retiraba y volvía a chocar contra nosotros con más fuerza. Timothy recibía los golpes de la tormenta de frente, amparándome con su cuerpo. Cuando el agua regresaba para atacarnos y tiraba de nosotros, la fortaleza de Timothy luchaba contra ella. Yo notaba el acero de sus músculos tensos, cuando el agua intentaba arrastrarnos.

Pese a estar protegido por él y aplastado contra el tronco de la palmera, sentía la lluvia martirizándome como si me estuvieran clavando clavos. No caía en vertical a tierra, sino que la fuerza terrible del viento la arrastraba con fuerza espantosa.

Supongo que habíamos estado atados a la palmera casi una hora cuando, de golpe, el viento amainó y la lluvia se suavizó.

—¡El ojo! —jadeó Timothy— Podemos relajarnos un poco hasta que la otra cara de la tormenta nos azote.

Recordé que los huracanes, que forman grandiosos círculos, tienen un ojo tranquilo en su centro.

—¿Estás bien? — pregunté.

—Estoy mojado, pero bien — me respondió con voz ronca.

Seguimos apoyados en el tronco de la palmera. Pero le oí que profería ligeros gemidos, como si el moverse le causara muchos dolores. Luego, nos sentamos bajo la lluvia para esperar que pasara el ojo del huracán. Nos rodeaban varias pulgadas de agua, pero no tiraba de nosotros.

Era una sensación extraña y sobrenatural hallarse en el ojo del huracán. No ignoraba que estábamos rodeados por todos lados por vientos violentísimos pero, en estos momentos el pequeño cayo estaba tranquilo y calmado. Toqué a Timothy y noté que se acunaba la cabeza entre las manos al tiempo que seguía emitiendo estos suaves gemidos, como un animal herido.

En veinte o treinta minutos el viento regresó con fuerza y Timothy me advirtió que otra vez debíamos ponernos en pie y bien pegados al tronco de la palmera. En poco más de unos segundos, la furia de la tormenta se lanzó nuevamente contra el cayo. Timothy me aplastó fuertemente contra la rugosa corteza del tronco.

Fue todavía peor esta vez, pero no recuerdo todo lo que pasó. Llevábamos un rato allí cuando una ola, que seguramente subió a media altura de las palmeras, se volcó contra nosotros. El agua me arrolló, pasándome por encima de la cabeza. Me ahogaba y luché para respirar. Entonces otra ola gigantesca nos golpeó. En ese momento perdí el sentido, y creo que Timothy también.

Cuando volví en mí, el viento había amainado y sólo soplaba en ráfagas aisladas. El agua todavía nos llegaba a los tobillos pero se estaba retirando hacia el mar. Timothy seguía detrás de mí, pero lo sentía frío y flácido. Estaba como desmayado y con la cabeza apoyada en mi hombro.

—Timothy, despierta —dije.

No respondió.

Empleando los hombros, intenté sacudirle, pero su macizo cuerpo no se movió. Me quedé muy quieto para comprobar si respiraba. Noté que su estómago se movía y, por encima del hombro, alcancé su boca. Brotaba aire. Supe que no estaba muerto.

No obstante, faltaba Stew Cat.

Luché durante unos minutos para soltar mis brazos de las ligaduras que me sujetaban al tronco del árbol y, a continuación, me deslicé de debajo del cuerpo de Timothy, que quedaba desmayado y apoyado contra la palmera. Palpé, hasta encontrar las cuerdas que sujetaban sus antebrazos al tronco, hasta que logré dar con los nudos.

Con su peso contra ellos, era difícil aflojarlos, pese a que eran nudos de marinero con sus lazadas correspondientes. Además la cuerda estaba chorreando, lo que hacía la labor todavía más fatigosa.

Supongo que me costó más de media hora librarlo de su amarre al tronco. Cayó hacia atrás pesadamente sobre la húmeda arena donde quedó tendido, profiriendo quejidos. Me daba cuenta que poca cosa podía hacer por él, excepto estar sentado a su lado bajo la llovizna, teniendo su mano entre las mías. En mi mundo de oscuridad, había aprendido que tomar una mano podía ser una gran medicina.

Después de un largo rato, pareció que empezaba a

recuperarse. Sus primeras palabras, dolorosas y casi arrancadas de su interior fueron:

— Phillip, ¿tú..., estás bien... Verdad?

—Estoy bien, Timothy —le contesté.

—Terrible tempestad —dijo débilmente.

Creo que había rodado boca abajo en la arena porque súbitamente su mano dejó la mía. Supongo que se quedó dormido.

Le toqué la espalda y se la noté caliente y sudorosa. Le pasé la mano en la espalda suavemente y, de repente, me di cuenta de que yo también estaba completamente desnudo. El viento y el mar nos habían arrancado lo que quedaba de nuestras ropas.

El viento había lanzado la lluvia, mezclada con arena, con tal fuerza que Timothy tenía el cuerpo desgarrado. Tenía tantos cortes en la espalda y las piernas, que apenas quedaba un espacio sin heridas. Sangraba, pero yo no podía hacer nada para parar el derrame de sangre. Busqué su fuerte y callosa mano otra vez y, envolviendo la mía en ella, me acosté pegado a él.

Me dormí también.

Un largo rato después de que amaneciera, me desperté. Ya no llovía y el viento había aflojado hasta volver a ser la brisilla normal. Creo que las nubes todavía cubrían el cielo, porque no sentía el calor del sol.

—¡Timothy! —llamé.

Pero no me respondió.

Sus manos estaban frías y rígidas entre las mías.

El viejo Timothy, de Charlotte Amalie, había muerto.

Permanecí allí a su lado durante mucho tiempo, muy cansado, pensando que hubiera tenido que llevarme con él a donde quiera que se hubiera marchado. No lloré en aquel instante. Hay momentos que uno está más allá de las lágrimas.

Me volví a dormir y esta vez, al despertarme, oí un maullido. Entonces, lloré durante mucho tiempo, abrazando a Stew Cat. Aparte de él, estaba sólo y ciego en un cayo olvidado.

16

Por la tarde fui a tientas hacia el oeste a lo largo de nuestra pequeña colina. A unos treinta o cuarenta pies de la última palmera, empecé a cavar una tumba para Timothy. Limpié el terreno lo mejor que pude, quitando ramas de palmera, hierbas marinas, pedazos de madera, peces muertos, trozos de coral y conchas, que el mar había arrojado allí. Marqué un espacio de unos siete pies de largo por cuatro de ancho. Cavé con las manos.

Al principio me sentí enfadado con Timothy.

Dije a Stew Cat:

—¿Por qué ha tenido que abandonarnos aquí solos?

Pero, mientras iba cavando me vinieron otros pensamientos. Con su gran espalda de cara a la tormenta y aguantando todo el castigo, Timothy había hecho posible que sobreviviera. Cuando mi abuelo murió, mi padre me explicó:

—Phillip, algunas veces las personas mueren, porque ya se sienten muy, muy cansadas.

Creo que eso es lo que le sucedió a Timothy. También pensé que, si me hubiera sido posible ver, tal vez no hubiese podido aceptar todo lo que pasó. Pero, sorprendentemente, la oscuridad me mantenía separado de la mayor parte de las cosas. Era como si mi ceguera me protegiera del miedo.

Enterré a Timothy y coloqué muchas piedras a la cabecera de la tumba, para que quedara señalada. No supe qué decir como oración fúnebre. Dije:

—Gracias, Timothy.

Y alzando mi rostro al cielo, rogué…

—Cuida de él, Señor. Fue bueno conmigo.

No se me ocurría nada más qué decir y simplemente me quedé junto a su tumba durante un rato. Después, tanteé mi camino de regreso hacia el lugar donde había estado nuestro cobertizo. Localicé maderos y los apilé al pie de la palmera a la que Timothy había atado nuestro depósito de agua y la caja de hojalata. Ambos estaban al socaire del ataque de la tormenta.

Me costó tiempo conseguir bajar al suelo el barrilete y la caja de metal pero, al abrirlos, comprobé que el agua seguía potable y que las cerillas, protegidas por celofán en el interior de la caja, estaban secas. Sin embargo, las dos barras de chocolate que habíamos estado preservando para celebrar una «fiesta» se habían estropeado. En cualquier caso, no me apetecían nada.

Al tantear el suelo, pude darme cuenta de que todo el cayo estaba cubierto de escombros, por lo que me dediqué primero a limpiar la zona del campamento, o lo que quedaba de él. Apilé todas las ramas de palmera que el viento había arrastrado hasta allí. Aparte, puse trozos de madera húmeda.

Con Stew Cat dando vueltas a mi alrededor —tropecé con él varias veces— trabajé hasta sentir que se aproximaba el crepúsculo. Había encontrado un coco en medio de una masa de hierbajos y maderas de todas clases. Lo partí y comí la pulpa, ofreciéndole también una parte a Stew Cat, que no mostró el menor interés por ella.

Después, me hice un lecho de hojas de palmera y me estiré encima, escuchando el bramido del mar todavía enfurecido, que seguía martirizando el encharcado cayo. Pensé que tenía que alimentarme, y también proporcionar comida a Stew Cat; debía reconstruir el cobertizo y montar otra pira como señal de fuego en la playa del este, y también estar cada día atento al posible zumbido de aviones. Sabía que Timothy había descartado la idea de que alguna goleta entrara en la peligrosa Boca del Diablo.

Estaba seguro que el mar había borrado las marcas de guía que Timothy había colocado para mí en el arrecife de coral y, también estaba seguro que mi cuerda guía que conducía a la playa había sido arrancada y destruida por la tormenta.

Pero ahora, por primera vez, comprendí realmente por qué Timothy me había entrenado tan cuidadosamente para que pudiera moverme por la isla y el arrecife…

El arrecife, pensé.

¿Cómo podría pescar sin mis cañas? Seguro que se los había llevado el mar. Entonces recordé que Timothy mencionó el haberlos puesto en lugar seguro. El problema era que se había olvidado decirme dónde.

Me levanté y empecé a tantear con las manos el tronco de cada palmera. En uno de ellos toqué una cuerda. La seguí con los dedos por el lado de sotavento y… ¡Allí estaban! No dos o tres, sino por lo menos una docena, fuertemente atados, cada uno con su anzuelo y su plomo. Eran una parte más del legado que Timothy me había dejado.

Por la mañana el sol calentaba; podía sentirlo en el rostro. Poco a poco la isla empezó a secarse y, hacia el mediodía, oí el primer grito de una ave. Estaban regresando.

A estas alturas, ya había aprendido a saber más o menos la hora, simplemente volviendo la cabeza hacia el calor del sol. Si el ángulo me sobrepasaba, era alrededor del mediodía. Si estaba bajo, entonces, evidentemente, era por la mañana temprano o final de la tarde.

Había tanto por hacer, que casi no sabía por dónde empezar. Encender un fuego, apilar una gran hoguera para señales, construir un sisa para recoger agua de lluvia, tejer un colchón de palma para poder dormir mejor; luego, levantar un cobijo de algún tipo, pescar en la poza del arrecife, inspeccionar las palmeras para saber si quedaba algún coco —no creía que ninguna hubiera quedado allí— y reconocer toda la isla para averiguar lo que había dejado la tormenta. Tendría suficiente trabajo durante semanas.

—No se cómo podremos hacerlo todo —le comenté a Stew Cat.

Pero algo me decía que debía mantenerme muy ocupado y no pensar en mí mismo.

Conseguí hacer muchas cosas en tres días, incluso sacar más filo al cuchillo de Timothy afilándolo en un coral. Lo clavé en la palmera más cercana a mi nuevo cobijo para así saber siempre dónde estaba en caso de necesidad. Sin los ojos de Timothy, estaba descubriendo que, en mi mundo, todo tenía que ser muy preciso; un lugar exacto para cada cosa.

Al quinto día después de la tormenta, empecé a explorar la isla para comprobar lo que el mar había dejado. Estaba animado, aunque no dudaba que era una tarea que me podía llevar varios días o incluso semanas, el realizarla. Me había hecho otro bastón y comencé por la playa del este. Fui arriba y abajo, agachándome para tantear todo aquello con que tropezaba con el bastón; a veces, me costaba largo tiempo saber qué era realmente lo que sostenía entre las manos.

Encontré varias cañas largas y empleé una de ellas para poner otra vez en marcha la «caña del tiempo»; eché cinco piedrecillas en su interior, para que la cuenta partiera desde la noche de la tormenta. Descubrí una vieja escoba, y una pequeña caja de madera que me podría servir como taburete. También hallé un trozo de lona e intenté imaginarme la manera de hacerme unos pantalones, pero no tenía aguja ni hilo.

Aparte de todo esto, había muchos moluscos, algunas aves muertas, pedazos de corcho y de esponja, pero nada que pudiese utilizar provechosamente.

Fue al sexto día después de la tormenta, mientras estaba explorando la playa del sur, cuando oí a los pájaros. Stew Cat estaba conmigo como de costumbre, y gruñó al escuchar los primeros gritos. Sonaban como enojados y calculé que siete u ocho estarían en el aire.

Me quedé escuchándolos sin saber qué tipo de aves eran. De pronto, noté un aleteo cerca de la cara y un agudo graznido de enfado, cuando el ave picó hacia mí. Le ahuyenté con mi bastón, preguntándome por qué me atacaban.

Otro se lanzó sobre mí chillando desaforadamente, y su pico me rozó un lado de la cabeza. Quedé desorientado durante un momento, sin saber si correr y buscar refugio entre lo que quedaba de los matorrales, o intentar defenderme con el bastón. Parecía que había muchos.

Entonces, uno de ellos me picó violentamente en la frente, cerca de los ojos, y sentí que me corría la sangre por la cara. Arranqué a caminar hacia el campamento, pero apenas había dado tres o cuatro pasos, tropecé con un tronco. Caí en la arena y, al mismo tiempo, sentí un agudo dolor en la parte posterior de la cabeza. Oí un estridente graznido cuando el pájaro remontó el vuelo y entonces otro picó hacia mí.

Stew Cat gruñó y sentí que daba un salto sobre mi espalda, al tiempo que sus uñas se clavaban en mi piel. Hubo otro graznido alocado y Stew Cat saltó por el aire.

Sus gruñidos y los gritos del pájaro herido llenaron la quietud del cayo. Podía oírles luchando en la arena. Finalmente escuché el graznido de muerte del ave.

Durante unos momentos, permanecí echado y por fin me arrastré hacia donde Stew Cat tenía a su víctima. Le toqué; su cuerpo estaba rígido y aún tenía el pelo erizado. Gruñía por despacio y por lo bajo.

Toqué al pájaro. Me había sonado grande, pero en realidad era más bien pequeño . Tanteé el pico; era muy afilado.

Stew Cat empezó a relajarse poco a poco.

Preguntándome por qué los pájaros me habían atacado, tanteé la arena a mi alrededor. Muy pronto, di con un molusco todavía caliente. Entendí que no podía culpar demasiado a los pájaros. Accidentalmente me había metido en su nuevo territorio de anidada.

Después de la tempestad, luchaban por la supervivencia, al igual que yo. Dejé a Stew Cat con su inesperada comida y emprendí lentamente el camino del campamento.

17

DIEZ PIEDRECILLAS habían caído en mi «caña del tiempo» cuando decidí hacer algo que Timothy me había dicho que no debía hacer jamás. Estaba cansado de comer pescado y hojas de matorrales y quería ahorrar los escasos cocos verdes que había podido encontrar por el suelo, puesto que ya no quedaba en los árboles.

Quería comer pechinas o langosta hechos en las brasas. No me atrevía a ir a la playa del norte a por ellas debido a los tiburones, pero pensé que podría haber alguna langosta aferrada al coral en el fondo de la poza de pesca.

Por lo que Timothy me había dicho, la entrada del mar a la poza era demasiado estrecha para que algún pez grande, un tiburón por ejemplo, pudiese entrar. Las barracudas —había dicho— podían pasar pero normalmente no eran peligrosas. Si, por casualidad ocurría que algún pulpo estuviera ahí abajo, sería pequeño, ya que los grandes siempre buscaban aguas más profundas y me aseguró que él se encontraba seguro cuando buceaba en la poza.

Agucé un palo en la forma que Timothy me había enseñado

y de pronto recordé que si tocaba una langosta con la mano izquierda tendría que ser muy rápido con la derecha, de lo contrario ella emplearía inmediatamente la cola para huir.

Acompañado por Stew Cat, bajé al arrecife y, tanteando, llegué hasta los contornos de la poza que me eran familiares.

—Si, dentro de veinte minutos, no he regresado, será mejor que te lances y me rescates —le dije al gato.

El muy tontorrón se limitó a frotarse contra mis piernas, ronroneando.

Manteniendo el palo aguzado en la mano derecha, me metí en la cálida agua pataleando durante un momento para ver si surgía algo. Después me sumergí de cabeza, nadé unos pocos pies y salí a la superficie de nuevo. Estaba convencido de que, salvo los peces que pescaba cada mañana, no había nada más en aquel agujero.

Al cabo de unos minutos, me animé y buceé hacia el fondo, asiendo el palo ahora con la mano izquierda, mientras empleaba la derecha para tantear el coral a mi alrededor. Subiendo de vez en cuando a la superficie para respirar, lentamente me abría un camino en el fondo de la pequeña poza, tocando bancos de coral que ondulaban en el agua.

Me sobresalté varias veces, cuando las algas u otras plantas marinas me rozaban la cara, y nadaba inmediatamente hasta la superficie. Quizás tardé casi media hora en llegar a la conclusión, que realmente podía capturar allí alguna langosta.

Esta vez, buceé con más corazón. Bajé directamente, toqué fondo y me acerqué a las paredes de coral de la poza. Timothy me había explicado que las langostas estaban siempre en el fondo, generalmente sobre las rocas y el coral.

Para mi sorpresa, toqué una a la primera, le clavé mi aguzado palo y luego nadé velozmente hacia la superficie

Jadeando, le grité a Stew Cat:

—¡Langosta esta noche!

Nadé hasta el borde, quité la langosta de mi especie de venablo, tomé aire y me sumergí de nuevo.

Lo hice muchas veces sin dar de nuevo con el duro caparazón, que indicaba langosta. Entonces, empecé a hundir las manos más profundamente entre la repisa y los rebordes cercanos al fondo de la poza.

Descansé unos minutos y decidí efectuar una inmersión más. Estaba feliz con la langosta que ya estaba en el arrecife, aunque era algo pequeña y apenas haría una comida para Stew Cat y yo.

Me sumergí y, esta vez, hallé lo que parecía ser la entrada de un agujero profundo que, por lo menos se extendía bastante. Ahí dentro, tenía que estar una enorme langosta —pensé—. Nadé hacia la superficie, llené los pulmones e inmediatamente buceé.

Hundí la mano en el agujero y algo me la agarró.

Aterrorizado, hice fuerza con los pies sobre las rocas para soltarme. El dolor era desgarrador. Fuese lo que fuese, lo que se había apoderado de mi muñeca tenía la fuerza de los brazos de Timothy. Tiré con todas mis fuerzas, y la cosa salió junto con mi brazo golpeándome el pecho con la cola. Pataleé, y salí a la superficie con la cosa todavía en la muñeca, clavando los dientes profundamente.

Estoy seguro de que, cuando asomé a la superficie golpeando el borde de la balsa, emergí aullando. Entonces, la cosa se soltó; la eché por la borda y fuera del agujero.

El dolor me corría por todo el brazo, me dejé caer jadeante y empecé a palpar mi muñeca con cautela. Sangraba, pero no de manera preocupante. No obstante, los dientes habían penetrado profundamente.

No era un pez, porque el cuerpo era largo y estrecho. Posteriormente, conjeturé que había sido una morena grande. Fuese lo que fuese, jamás volví a sumergirme en aquel agujero.

18

No PASABA DÍA O NOCHE en que no estuviese atento a los sonidos del cielo. Tanto mi sentido del tacto como el del oído empezaban a afinarse, compensando mi falta de visión. Ya sabía distinguir cada ruido del otro y cada uno era diferente.

Llegué a conocer los diferentes gritos de las aves que volaban por el cayo, pese a que no tenía la menor idea de lo que eran. Las bauticé con mis propios nombres según el sonido de sus voces. Únicamente el graznido de las gaviotas me recordaba la imagen de ese pájaro, porque yo les había oído y visto muchas veces cerca de la muralla marítima de Willemstad.

Hasta oía como sonaba la brisa al pasar entre las matorrales, acariciando las hojas suavemente. Al correr entre las ramas de las palmeras —las que quedaban después de la tormenta —producía un sonido crujiente.

Reconocía el deslizarse de las lagartijas. Algunas todavía estaban en la isla pese a la tormenta. Supongo que de alguna manera treparon a lo alto de las palmeras. Si no, ¿cómo hubieran podido sobrevivir cuando el agua inundó todo el cayo?

Hasta sabía cuándo se aproximaba Stew Cat. Al pisar alguna hoja seca, sus suaves patas sólo hacían un leve ruido, pero lo oía.

Un día, a media mañana, a primeros de agosto, estaba en la colina cerca del campamento cuando escuché el lejano zumbido de un avión. Aunque estaba contra viento el rumor me llegó muy claro. Me agaché para tantear al gato. También lo había oído. Su cuerpo estaba tenso y mantenía la cabeza apuntada hacia el sonido.

Me dejé caer de rodillas junto al fuego, tanteando sus bordes hasta dar en la brasa con la punta de un palo, que saqué. Timothy me había enseñado a disponer los palos formando una rueda, para que el fuego ardiera lentamente en el centro y que siempre quedasen unas extremidades sin quemar. Yo atendía el fuego media docena de veces al día.

Escupí en el tizón hasta oír una chispa y supe que tenía fuego suficiente para encender las ramas secas de palmera en la base de la hoguera de señales.

Presté atención para oír de nuevo el zumbido. Sí, todavía estaba, ahora más cerca.

Corrí directamente hacia la pira, tanteé las ramas secas y entonces apliqué el tizón sobre ellas. Soplé hasta que oí el crepitar de las llamas y, en pocos minutos, la hoguera rugía y corrí a la playa del sur donde podría oír el avión sin escuchar el crepitar del fuego.

De pie en la playa sur, escuché. ¡El avión se estaba acercando!

¡Aquí! ¡Aquí abajo! —aullé hacia el cielo.

Decidí volver corriendo hasta la playa del este para permanecer cerca del fuego y del nuevo letrero que deletreaba «Socorro».

Creyendo que, de un momento al otro, el avión descendería y que oiría el rugido de sus motores encima del cayo a baja altitud, me quedé con Stew Cat, a pocos pasos del rompiente. Esperé y esperé, pero no había ningún ruido de trueno llegando del cielo. No oía nada más que el crepitar de las llamas, el rumor de las olas al romper en la playa.

Corrí otra vez a la playa del sur, donde me quedé muy quieto y escuchando.

¡El avión se había marchado!

Lentamente, regresé a la playa del este y me senté a la sombra de los matorrales. Dejé caer la cabeza entre mis brazos y lloré, sin sentir ninguna vergüenza por hacerlo.

No parecía haber esperanza de abandonar nunca el cayo, aunque no podría vivir siempre de esta manera. Llegaría un día en que me pondría enfermo, o bien otra tormenta salvaje asolaría la isla. Sólo, nunca podría sobrevivir.

Hubieron muchos malos y solitarios días y noches, pero ningunos peores que este día.

Stew Cat se acercó a mí ronroneando y frotándose contra mis piernas. Le abracé durante largo rato, al tiempo que me preguntaba por qué el avión no se había aproximado, cuando los pilotos vieron el humo.

Tal vez no habían visto el humo —pensé finalmente. Sabía que se elevaba al cielo, pero, ¿fue humo blanco que se perdía en el azul-blanco del cielo, o bien fue humo oscuro y aceitoso que formaría una mancha borrosa en el azul del cielo? No había forma de saberlo.

¡Si tuviese algún tablero aceitoso!, como los que flotaban en las aguas del Schottegat, impulsados por la corriente. Pero sabía que la madera que llegaba a la playa consistía mayormente en ramas o tocones, que habían permanecido en el agua durante semanas o meses. No contenían nada que pudiera producir humo negro.

Empecé a reflexionar sobre todo lo que contenía la isla. Las ramas verdes de las palmeras podrían dar humo oscuro, pero no se podían arrancar de los árboles antes que sequen. Las enredaderas de la playa del norte también echarían humo oscuro, pero sus hojas eran muy pequeñas.

¡La hierba marina! Arranqué una pequeña cantidad, palpándola entre los dedos. Efectivamente, contenían algo aceitoso. Me levanté y me acerqué, lanzando al fuego un montoncito. En un instante oí un chisporroteo parecido al crujido producido por la grasa caliente al caer en el agua.

Ahora ya sabía como hacerlo.

El humo se elevaría sobre el cayo como una columna gruesa y negra para guiar a los aviones a la Boca del Diablo. Si escuchaba a otro avión, encendería un fuego y luego echaría manojos de hierba marina, hasta estar seguro que un llamativo señal subía desde la isla.

Timothy no había pensado en el humo negro. Eso era.

Sintiéndome mejor, subí a buscar las pocas ramas de palmera que quedaban para preparar una nueva base de hoguera.

Me desperté al amanecer de la mañana del 20 de Agosto de 1942, al oír un trueno, preguntándome cuándo empezarían a crujir las primeras gotas de lluvia en el tejado del refugio . Oí que Stew Cat, echado a mis pies, soltaba un gruñido.

—Sólo es trueno Stew Cat —le expliqué— Nos hace falta agua.

Pero, al seguir escuchando, no parecía ser trueno. Era un sonido fuerte y penetrante, muy sostenido, más parecido a una explosión o una serie de explosiones. Parecía que todo el cayo retumbaba. Salté de la colchoneta y salí del cobertizo.

El aire no se notaba lluvioso; era seco, y tampoco hacía mucha calor.

—Son explosiones, Stew —dije—. Muy cerca de nosotros.

A lo mejor eran destructores —pensé—, puesto que no oía el zumbido de ningún motor de avión. Tal vez eran destructores combatiendo contra sumergibles enemigos. Y esos ruidos tan fuertes, penetrantes y muy sostenidos podrían ser las cargas de profundidad que empleaba la Armada para luchar contra los submarinos —tal como mi padre me lo había explicado.

En esta ocasión, no me molesté en bajar un tizón hasta la playa del este. Saqué de la caja de hojalata el paquete envuelto en celofán, que contenía las grandes cerillas de madera. Quedaban cuatro. Corrí cuesta abajo.

Busqué una piedra y, una vez la tuve en la mano, me arrodillé al lado de la hoguera y rasqué una cerilla contra ella. No pasó nada. Comprobé al tantearla que el sulfuro había saltado. Rasqué otra, produjo un ruidito chisporroteante y se apagó.

Me quedaban dos cerillas y, durante un momento, no supe si emplearlas o regresar corriendo al fuego del campamento.

Me quedé inmóvil escuchando con atención. Sentía el sudor correr por mi cara y las explosiones seguían sonando en el mar.

Entonces, oí el zumbido de un avión. Respiré hondo y rasqué la penúltima cerilla. Oí cómo prendía y pasé la mano izquierda sobre su extremidad. Sentí calor. Ardía.

La introduje profundamente en la pira y la mantuve hasta que empezó a quemarme la punta de los dedos. El fuego prendió y, al cabo de un instante, ya estaba rugiendo.

Corrí a la playa para conseguir hierba marina. Traje el primer manojo y lo eché al fuego. Rápidamente noté el olor a quemado. Chisporroteaban a medida que las llamas quemaban la grasa natural que contenían.

Cuando hube transportado y echado al fuego diez o quince manojos de hierba marina, me sentí seguro de que una buena columna de humo negro se elevaba en el cielo sobre el cayo.

De pronto, un rugido ensordecedor pasó por encima de nosotros. Comprendí que era un avión, que cruzaba el cayo a una altura no mucho mayor que la de las palmeras. Incluso pude sentir el viento que producía.

Olvidándome de todo, grité:

—¡Timothy, han venido!

Me pareció que el avión estaba dando un giro agudo. Rugió nuevamente sobre el cayo y parecía volar aún más bajo, porque el viento que desplazaba era más caliente. También llegó a mi olfato el olor a tubos de escape.

—¡Aquí abajo, aquí abajo!, —chillé, agitando los brazos.

El avión dio otra vuelta, pasando casi por encima de mí con el motor chillando.

Le grite a Stew Cat.

—¡Nos rescatarán!

Pero creo que el gato había huido a esconderse entre los matojos.

Esta vez no obstante, La aeronave no dio otra vuelta. No hizo otra pasada baja sobre la isla, y estuve oyendo cómo se desvanecía el sonido. Pronto, se perdió por completo. Entonces me di cuenta que las explosiones habían cesado también. El habitual silencio volvió a reinar.

Todas las fuerzas me abandonaron. Había sido la primera verdadera oportunidad de ser rescatado y, quizás, no hubiera otra. El piloto se había marchado, pensando probablemente que yo era un pescador nativo saludando a un avión. Sabía que ahora el color de mi piel era muy oscuro.

Y lo que era peor: a lo mejor el humo había impedido ver las piedras que deletreaban socorro.

Sintiéndome muy mal, volví a subír la cuesta y me dejé caer sobre el colchón del refugio. No lloré. No tenía sentido el hacerlo.

Quería morir.

Al cabo de un rato, miré hacia la tumba de Timothy y le dije:

—¿Por qué no nos llevaste contigo?

19

ERA CASI MEDIODÍA cuando oí la campana.

Sonaba como las campanas que yo había oído en Sta. Anna Bay y en Schottegat. Los barcos pequeños y los remolcadores las usaban para indicar a los maquinistas que fueran despacio o aprisa, o para que pusieran la reversa.

Por un momento, creí estar soñando.

Entonces oí la campana otra vez y con ella el trepidar de un motor… ¡Y voces! Venían de la playa del este.

Baje corriendo hacia allí. Efectivamente, una pequeña lancha había penetrado en la Boca del Diablo y se aproximaba a nuestro cayo.

—¡Estoy aquí!, ¡estoy aquí! —aullé.

Hubo otro grito desde el agua. Era una voz de hombre.

—¡Te vemos!

Me quedé en la playa del este con Stew Cat a mis pies aguzando el sentido en dirección a los sonidos. Volví a escuchar la campana, el motor entró en reversa, la hélice sonó fuerte y alguien chilló:

—¡Salta Scotty, el agua no es profunda!

La voz era americana, estaba seguro.

El motor estaba ahora en punto muerto y alguien se me acercaba. Le oía caminar sobre la arena.

—Hola —dije.

No hubo respuesta por parte del hombre. Supongo que simplemente me estaba observando.

Entonces gritó, dirigiéndose a alguien en la lancha:

—¡Dios mío, es un muchacho desnudo!, Y un gato!

La persona en la lancha preguntó:

—¿Alguien más?

—No, sólo nosotros —respondí yo.

Empecé a desplazarme hacia el hombre en la playa.

—¿Eres ciego? — preguntó entrecortadamente.

—Sí, señor —contesté yo.

—¿Estás bien? — preguntó en un tono de voz raro.

—Estoy bien ahora. Ustedes están aquí —dije.

—Vamos, muchacho, te ayudaré —me replicó.

—Si usted lleva a Stew Cat, solamente necesito que me guíe hasta la lancha —le sugerí.

Una vez a bordo, me acordé del cuchillo de Timothy, clavado en la palmera. Era la única cosa que quería quedarme del cayo. El marinero que había llevado al gato subió la cuesta, mientras que el otro me hacía preguntas. Cuando regresó dijo:

—No creerías lo que hay allá arriba.

Supuse que estaba hablando de nuestro cobertizo y del sistema para recoger el agua. Tendría que haber visto los que construyó Timothy.

No recuerdo exactamente lo que sucedió durante las horas que siguieron pero muy en breve me estaban ayudando a subir a un destructor. En cubierta me hicieron tantas preguntas a un tiempo que un hombre rugió:

—¡Parad ya de molestarle! Dadle comida, cuidados médicos y colocadle en una litera.

—Sí señor, Capitán —contestó una voz dócilmente.

En la enfermería, el capitán me preguntó:

—¿Cómo te llamas, hijo?

—Phillip Enright. Mi padre vive en Willemstad. Trabaja para la Royal Dutch Shell —le expliqué.

El capitán ordenó a alguien que mandara por radio un mensaje priotario al comandante naval de Willemstad, y luego me preguntó:

—¿Cómo llegaste a esa pequeña isla?

—Timothy y yo fuimos impulsados y arrastrados por el mar hasta ahí después que el Hato se hundió.

_¿Dónde está Timothy? —preguntó.

Le conté al capitán todo acerca de Timothy y lo que nos había sucedido. No estoy seguro que creyera algo de lo que conté, porque suavemente me dijo:

—Hijo, procura dormir. El Hato fue hundido en abril.

—Si señor, así es —le confirmé.

En aquel momento llegó un médico para hacerme una revisión.

Aquella noche, después de comunicarse con Willemstad, el capitán volvió a visitarme para informarme que fue cuando su destructor estaba en combate con un submarino enemigo, que el avión había localizado mi columna de humo y enviado inmediatamente un mensaje por radio al barco.

Todavía quedaba incertidumbre en su voz, cuando me contó que lo había comprobado en todas las cartas marítimas y publicaciones que tenía en el puente de mando pero que nuestro cayo era tan pequeño, que ni siquiera estaba dignificado con un nombre. Entonces Timothy tenía la razón. Estaba escondido en la Boca del Diablo.

Por la mañana, anclamos en la base naval de Cristóbal, Panamá, y me llevaron rápidamente al hospital, pese a que yo no creía que fuera necesario. El doctor del destructor ya había anunciado que estaba fuerte y con buena salud.

Mi madre y mi padre llegaron en un avión especial desde Willemstad. Pasaron varios minutos antes de que pudiesen decir algo. Sólo me abrazaban, y me di cuenta que mi madre estaba llorando.

Repetía una y otra vez:

—Phillip, lo lamento, lo lamento tanto.

La Armada les había anticipado que estaba ciego, para evitar que el shock fuese demasiado fuerte. Yo sabía que físicamente había cambiado. Trajeron un peluquero para cortarme el pelo, que me había crecido muy largo.

Hablamos durante mucho tiempo con Stew Cat en mi cama, e intenté contarles todo lo posible de Timothy y del cayo, pero no era fácil. Por supuesto que escuchaban, pero tenía la impesión que ninguno de los dos comprendía verdaderamente lo que había sucedido en nuestro cayo.

Cuatro meses más tarde, en un hospital de Nueva York, después de muchos rayos X y pruebas, tuve la primera de tres operaciones. El madero que me había golpeado la noche en que el Hato se hundió, me había afectado algunos nervios. Pero, después de la tercera operación, cuando me quitaron los vendajes había recuperado la vista. Tendría que llevar gafas toda la vida, pero podía ver. Y eso era lo que importaba.

A principios de abril regresé a Willemstad con mi madre y continuamos la vida desde el punto en que la habíamos dejado en abril del año anterior. Una vez se me hubo dado oficialmente por desaparecido en el mar, ella había regresado a Curaçao para estar con mi padre. Mi madre había cambiado en muchos aspectos. Ya no pensaba en abandonar las islas.

Vi a Henrik van Boven en alguna ocasión, pero ya no era igual como cuando jugábamos a holandeses y británicos. Me parecía muy joven. En aquellos días, yo pasaba mucho tiempo recorriendo Sta. Anna Bay y el mercado Ruyterkade, hablando con la gente de color. Me agradaba el sonido de sus voces. Algunos de ellos habían conocido al viejo Timothy de Charlotte Amalie. Me sentía próximo a ellos.

Cuando la guerra finalizó, nos marchamos de Scharloo y de Curaçao. El trabajo de mi padre había terminado.

Desde entonces, he pasado muchas horas estudiando cartas marinas del Caribe. He localizado Roncador, Rosalind, Quito Sueño y Serranilla; he localizado Beacon Cay y North Cay, y las islas de Providencia y San Andrés. He localizado también la Boca del Diablo.

Algún día, alquilaré una goleta en Panamá y exploraré la Boca del Diablo. Espero que hallaré la solitaria islita en la que descansa Timothy.

Es posible que no la reconozca visualmente pero, en cuanto desembarque y cierre los ojos, sabré que éste era nuestro cayo. Caminaré a lo largo de la playa del este y hacia el arrecife. Subiré a la colina donde están las palmeras y me quedaré al lado de su tumba.

Entonces, diré:

Éste si, es nuestro bárbaro cayo, ¿eh, Timothy?